連合赤軍

革命のおわり革命のはじまり

鈴木創士 編

月曜社

目次

連合赤軍

革命のおわり革命のはじまり

編者によるはしがき

鈴木創士

連合赤軍事件を「狂気」と関係づけることは、狂気を過大評価することになるだろう。さまざまな意見に反するようであるが、この事件はあらゆる細部において人間の「行動規範」、いくつかの意味において太古からの「道徳律」に則っていたと私には思われる。政治的にしろそうでないにしろ、たいていの場合、行動というものは理性によって決定されるが、そのこと自体がすでに狂気じみているのである。事件のなかに出来(しゅったい)した凄惨さはそれ故だったのではないか。多くの死者たちに哀悼の意を抱いていることに変わりはないが、この凄惨さは拙劣で幼稚な心理学を伴っていたことは言うまでもない。勿論、革命にあっても、いうところの行動の理性との対比において、心理学は如何ともし難いのである。それはすべての原動力の一部でさえあるからだ。私は関西の赤軍派系高校生であったが、「リッダ闘争万歳！」という集会を兵庫県で行ったことがあった。この少人数の集会にあって、連合赤軍事件に対する我々のアンチテーゼに心情的側面があったことは確かである。当時、その心理学がどういうものであるのか、むろん我々もまた知悉してはいなかった。数年前のことだが、レバノンを強制送還になった映画監督の足立正生氏にこんなことを言われたことがある。「君たちは散歩のつもりでパレスチナに来ればよかったんだよ……」。今更ながら私は足立氏の言葉について思い巡らせてみたが、理性に則っていたつもりがなかった私自身のことについては、そもそも個人として思想的に語るに値する内容がないのだし、無意識は否定性によって成り立っているのだから、我々の無意識は何の役にも立たなかったと言うほかはない。

歴史的事件は幾たび繰り返されるのだろう。ヘーゲルが言うように、二度なのか。三度なのか。はたまた四度なのか。ローマ帝国の歴史を顧みるなら、それは数えきれないほどなのか。帝国が崩壊しいったん消えるなら、英雄伝説たけなわということになる。それとも、それが政治的に決定されなかったとしても、行動の原像はニーチェとブランキが言うように無限回繰り返されるのだろうか。この歴史的訓戒を前にして、今に至るなら党派的な言語によって書き込まれたとしか思われないような、結局は熱に浮かされて朦朧とした思考の発露があちこちに散見された。それは「展望」や「総括」という魔法の用語であり、それらの言葉の熱が発散する理念であり、実際、巷に「展望」や「総括」のウィルスが猖獗を極めていた。そのことは誰もが知っている。それどころか、事件の凄惨さへと至るひとつの道筋を明らかに示したはずの「展望」や「総括」という強迫は、じつは理念の能力などではないある種の悟性的審議の結果なのである。それにしても里程標などどこにも見当たらない「出来事」は、けっして悟性的審議の結審によってもたらされないことは必定である。そしてこの審級において発せられた言葉が、私には虚しいミネルヴァの梟の鳴き声のように響いたのは、二つの事件をそれぞれ象徴したマルクスの言う「悲劇」と「茶番」が、すでに一つの事件のなかでともに手を取り合っていたからであろうか。我々の眼前で「悲劇」と「茶番」は同時に生起していたのではないか。それは次々に起こるはずの新しい戦いに栄光を授けたのか。そんなことはない。革命的精神を再び見出すことはできても、与えられた課題は空想のなかで誇張された。あえて斜めに読み違えをすれば、マルクスはそうも言っていたのだ。そのために空想は肥大する一方である。しかもこの悲劇と茶番の結託は出来事の即自的・即時的意味の分裂と同義である。分裂は無数であり、果てしない。そのために我々は意味を捉えそこねる。そしてこの細分化のなかで歴史に新たな形状などないことがただちに理解される。だがこんなことは歴史の教訓ですらなかったのである。したがって本書は時代自体が強要しようとするいわゆる展望や総括とはあくまでも無縁でありたいと願う。

我々は、かつての枢軸国、我々の祖父や親父がファシストもしくは無意志的ファシストもどきであった国にいた。ドイツ赤軍のドイツ、赤い旅団のイタリア、そして我々である。他の国々、例えばフランスは、あれほど多くの有能な若き毛沢東主義者がいたのに、五月革命の後、なぜか枢軸国の我々のようなフェーズに陥ることはなかった。このことはさまざまな意味で考えさせるものを含んでいる。近代の歴史的事件も色とりどりであったし、連合赤軍事件から五十年経てば、事後というものがそれなりの主張をすることもあるのだろう。たしかに事前と事後がある。何度となくそうであったように、我々はすぐさま忘却に襲われるらしいが、事の起こりにおいて抑圧されたものはそれぞれが回帰する。しかも的を絞って。しかし間違ってはならない。事後というのはあくまでも「崩壊後の世界」という意味である。後戻りがありえないだけではない。死者たちを含めて誰もがこの事後を生きている。事後に何が起きたのかを事件自体の核心において捉えることは、事後に事件の真実を核心において捉えるのと同様に至難の業であるが、そのために古今東西、涙ぐましくも大量のインクが流されることになる。

このような観点に立てば、何はさておき我々の全般的思考、いや、思考それ自体はすでに破綻したのである。この破綻への感覚を有することは現在のようなひどい時代にあって有意義である。だが我々はこの思考の破綻自体を十分に吟味しただろうか。昨今では、思考の非常事態において、思考の破綻を糊塗(こと)することが思考本来の機能であり、最終的解決へ向けての思考の任務であると考えられている節がある。少なくとも誰もがそのように装っているではないか。我々の知識の現状はそういうものであるが、私はあらゆる形で、そして巧みにそれを拒否できればと考える。思考の破綻のうちにある思考の自由は、つねに繰り返されたこの思考の危機のなかにしかないことがわかっているからだ。連合赤軍事件は「政治」を葬ることになったが、その意味においては、それが喜ばしいことであったのか、そうではなかったのか。

事柄をめぐって、政治的、歴史的、哲学的、社会学的、時事的アプローチだけを事とする人たちの眉を顰めさせることをあえて言うなら、かくいう問題は文学の問い、というか「文学」そのものである。連合赤軍事件を考えるまでもなく、個人の共同性と集団の共同性のディレンマや葛藤は永遠の問題となった。そのことはわかっている。「民衆は存在しない」の裏面は「無数の民衆が存在する」である。「自らを変革する」という命題は、時間の奸計に屈することがなかったとすれば、自由と解放の問いにとって「文学」の本質を示してあまりある。思考の危機は生々しくも厳然たる生のなかにあり、この生の思考はそれなりに死への愚問を形づくる。連合赤軍事件には神話的深層があったからということだけではない。それは表層にも触れていて、その場合は三文文学である。それにもかかわらず本質的な意味での「文学」の実在というものがある。きわめて古いものでもあるこの実在は、ある面からすれば、「善」と「悪」の戦いからも醸成される。だがこの事件において、「善」と「悪」は、いや、せめて善悪への問いかけは、はたして徹底されたのだろうか。回答だと見紛う現実からの復讐にさらされてこそ、少なくともその問題は日常のなかで突き詰められねばならなかった。たとえ私の言う「文学の実在」としてでさえも。

テロリズムという用語と概念と実践はフランス革命の発明であるが、以上の点において、政治力学的に試行された「恐怖政治」のあらゆる射程は、哲学的に低く見積もられていた感がある。「善」は政治的でもあり、同じく「悪」は政治的でもあるが、事は集団における政治的もしくは個人における心理的問題に限られるわけではなく、恐怖政治の行動原理としての善悪はそんなところに収まることはない。権力の側の善悪としてはどうなのか。ドイツ赤軍についてジャン・

ジュネが言うように、テロリズムに関して、極左の暴力と権力の蛮行は異なるものなのだから、蛮行や粗暴は敵のあらゆる政治的手腕の旨とするところであるだけでなく、蛮行を行えば行うほど権力が善悪の問題の袋小路に倫理学的に追い込まれる限りにおいて、それは同時に法制度における敵のアキレス腱でもある。マスコミに向かってジュネが言ったことにドイツやフランスをはじめヨーロッパ中が激怒したのだから、なおさら言い得て妙であった。

連合赤軍事件もまたこの善悪の問いの重荷を背負った。ところで、ジャコバン派の皆殺しの天使サン＝ジュストは、古代スパルタの幻影のごとく英雄のまま断頭台の露と消え、一方、人間の極限的暴力と度し難い悪虐性の様相に固執しながらも恐怖政治に反対したジロンド派市民サド（バスティーユの監獄から解放されたサドは、貴族出身でありながら革命評議会のピック地区委員長となるが、その後反革命の嫌疑をかけられ逮捕される）は、牢獄と精神病院でしゃばの通俗作家を夢見て終わった。サン＝ジュストとサド。しかし同志たちは自分のためにサド侯爵を読まなかったのだ。

人民裁判的風潮というものがある。「法」の支配は、世界をさまざまな形でそのように見せかけることによって、我々が「法」に支配されていることをつかの間忘れさせてしまう。「法」は憲法や法律だけで出来ているのではない。法律は「法」の与える目に見える軛であり、憲法や法律自体の有する事務能力あるいは処理能力は「法」の下僕のそれである。「法」は真昼間には目に見えないものであるか、あえて言うなら、むしろカフカの語る不可解な「門」のようなものであろう。我々に門をくぐり抜けることはできるのか。実際、法の番人のつもりでいる門番だけはいたるところに控えていて、門の向こうには何もなくただの空き地が広がるばかりであるが、我々にも逡巡があるではないか。形而上学的意味においても、実践的意味においても、自分は未来永劫「法」の支配下にあるのか。権力の課す法の軛だけではない。人民裁判所の門をくぐる者もまた地獄の門を過ぎゆくようになべての希望を捨てねばならないのだ。

なるほど「法」なるもの自体が大いなる矛盾をその原動力としている。「法」そのものではなく、法の僕（しもべ）である誰に、誰を裁く権利が「法」としてあるのかということが不問に付されたまま、それはあくまで「現実」に介入する。裁くことができるという思い上がりは裁くこと自体を正当化する。そこには、倒立した形で、裁いてもいいという「法」の根拠がある。しかしほんとうの意味では誰にも裁くことはできない。神を持ち出したいのであれば、あらゆる裁き、神の裁きと訣別しなければならない。連合赤軍事件においても「法」は作動した。人民裁判としてだけではない。戦士の掟（法）として、などということが言いたいのではない。いくら凄惨な実効性を伴っていようと、もっと抽象的で得体の知れない「法」としてである。理念も行動もそれを免れない。「法」は闇夜の鵺（ぬえ）であり、叡智の光を分解する不吉なプリズムであるが、真昼に姿を現すときは実態的なものとしてつねに機能する。ミシェル・フーコーによれば、司法的行為は重要な国家的装置であり続けてきたが、その歴史はつねに闇のなかに覆い隠されてきたのであるし、抑圧体系としての司法の歴史となれば誰もがほとんど口にしなかった。あまりにも多くの過ちがあったことがわかっているからだし、あまりにもその歴史は錯綜したものであるからだ。何の名において、あるいは誰の名において、いったい誰が誰を裁いたのか。人道的見地からしても民衆の歴史のなかにある数々の不幸のひとつは、この書かれなかった歴史の産物である。
人民裁判も含めて、あまたの抑圧的矛盾は「法」の国家的装置によって餌として食い尽くされる。「人民の正義」も餌の例外ではない。こうしていかなる政治的事件も事の起こりからすでに「法」に支配されていたことがわかる。しかしこの「法」のもとに、連合赤軍事件は全世界の（新）左翼運動の末路を示したのではない。それは自らが断罪されることによって、逆にすべての政治的法廷を自らの「犯罪的行為」によって裁いたのでもない。判決を下せる者は誰もいない。ところで、「法」の実効性についてまだ強弁しようという人がいれば、こう反論してもいいだろう。事件は歴史によって裁かれるのではない、裁かれるのは我々の世界である、と。

連合赤軍事件は相反する二つの方向でフェミニズムに深い衝撃を与えたはずであった。その意味においても、多くの女性の書き手に登場願いたかったが、水越真紀氏を例外としてそれがかなわなかったことは残念であり、こちらの非力をお詫びしたい。ただここで田中美津氏の「永田洋子はあたしだ」を再録することができたのは幸いであった。今回、連合赤軍をめぐる歴史的なテクストを集めることも構想したが、最終的にはあえてこれだけを収録した。なお、事件の直接間接の当事者たちには、原稿をお願いすることはしなかった。なにより連合赤軍への「こことよそ」を確認することが本書の主題でもあったからだ。しかし当事者たちの証言なくして本書がなかったことは事実である。本書が連合赤軍事件への新たなアプローチの一石となることを願っている。

日本革命の終わり　あるいは連合赤軍という問い

高祖岩三郎

永劫回帰によって、また永劫回帰において、力能の意志の質としての否定は肯定へと価値変質し、否定そのものの肯定になり、肯定する力能、肯定的力能になる。[1]

ジル・ドゥルーズ

「連合赤軍」についていま考えるということ

あの出来事からすでに半世紀の時が経過した。当時わたしは、六〇年代に発する民衆蜂起のうねりに感化された高校生だったが、七〇年安保闘争敗北後の情勢の停滞と暗転を甘受していた。「自分たちのような若輩さえも、あるいは若輩こそが世直しを敢行しえる」という造反有理の志を継承しつつも、闘争の深化をかけた「学校や家庭をふくむ小市民的立場の一切をすて、下層人民と共に、自らの生を革命にささげる」という下放あるいは自己否定／解体／再形成の要請に逡巡し、かつ対抗的情勢の混迷の中で激化していた分派闘争、いわゆる「内ゲバ」を目前に阻喪していた。そうした状況の中で、連合赤軍をめぐる出来事が、自己否定と軍事路線のありうべき末路を、あまりに尚早かつ絶望的に、それが宿命であるかのように先どりしてしまった。この負の影響によって、対抗的趨勢全般が弱体化したと言われるのも頷ける。[2]多くの人々が指摘するように、それがめざした殲滅戦の唯一の表舞台となった浅間山荘の銃撃戦が、日本初の実況テレビ中継というマスメディアの実験に充当され、そこから事後的に同志たちの処刑が明らかになっていく中で、六〇年代にはじまる民衆蜂起の達成を、世論において荼毘に付すという体制の目論見が成就する。[3]この出来事の社会的衝撃は大きく、一方で凡百のジャーナリストのスキャンダラスな記事を繁殖させ、他方で左翼の論客たちによる「革命の理念と実践」をかけた分析を際だたせていた。

以後、日本においても、世界においても、七〇年代の前衛主義的軍事路線への反省から、それと軌を異にする多種多様な民衆闘争が登場してきた。その中で、連合赤軍の記憶は、封印されたひきだしの奥で、色褪せてゆく写真のように、忘れられているようにみえる。だが、その陰の影響力は、半世紀の後もまだ、わたしたち自身の言及忌避性として、日本の反体制運動全般を呪縛しているのではないか。そうだとすると、その呪縛を、それを醸成したより大きな蜂起の浮き沈みに改めて位置づけて、民衆闘争をめぐる普遍的な問いへと転換し、開放してゆく必要があるのではないか。どれだけ忌まわしいものであっても、連合赤軍は「世界変革」を志すわたしたち皆の共通経験なのだから。

以下の論考は、その事件の解明をめざすものではない。[4] 参加者たちに、心理学的な診断を、あるいは道徳的な裁定を下すものではない。はたまた革命運動としての思想と路線の過ちを突きとめ、正すものでもない。そうした試みは、この出来事に携わった闘士たち自身が、そしてその近傍で闘っていた同世代の先輩たちが、それぞれの存亡を賭けて試みてきている。ここでわたしに出来ることは、わたし個人が八〇年代以降、日本の外に住み、各地の民衆闘争を観察してきた「後続者／部外者の視点」から、連合赤軍という出来事の負の遺産を、逆に批判装置に転換して、それを醸成しかつそれに縛られている日本における変革運動の存在政治的（オントポリティカル）な位相と地平に光をあててみたい。

おおよそ次のような問いが、俎上にのぼってゆく。

多様な勢力の競合が形成する「戦闘性（ミリタンシー）」とそれを統制されたひとつの力へと組織化する「軍事主義（ミリタリズム）」は、異なった権力への「対抗性」を体現している。その差異は、革命運動の中で、どのように経験されたか？　どのようにして前者は、後者に回収されたか？　その過程で、党派闘争（その言説と実践）はどのように引き返せない地点まで、激化していったのか？

日本において六〇年代／七〇年代の革命的闘争を実践していた人々は、同時に自己否定による「自己解体／再構成」を推進していた。それが、一方でどのように「死の欲動」の集合的共有に帰結し、他方でどのように異なった闘争の地平を切り開いていったか？　それらの行方は、日本という国民国家（その領土性と社会性）との関係性に決定されていた。日本の内部で志向されたか、あるいはそれを「内破」しようとしたか、「解体」しようとしたか。

　現代日本の民衆闘争は、それらの経験をどのように継承し、あるいは廃棄しているのか？　ほとんどの社会運動は、武装路線はいうまでもなく、あらゆる形の戦闘性を忌避し、合法的な抗議行動と選挙運動に甘んじている。それは、かつて革命運動が懐抱していた国民国家体制と社会体を否定し、世界変革をめざす「意志」を、放棄したということなのか？　日本における革命は終わったのか？　あるいはかつて志向された「革命」が終わり、別の「変革」が試行されているのか？

戦闘性（ミリタンシー）と軍事主義（ミリタリズム）をめぐって

　連合赤軍をふくむ日本における新左翼諸党派（セクト）の経験を、批判的に検討するうえで、有効な契機となるのは、「戦闘性（ミリタンシー）」と「軍事主義（ミリタリズム）」の間の差異を斟酌することであろう。これらこそ、過去半世紀の間、闘争の現場からはっきり異なるふたつの「革命論」を導きだしてきた。後者に妥当する「権力を取ることで世界を変える」か、前者に妥当する「権力を取らずに世界を変える」[5]か、というふたつの方向性である。前者は、新左翼のあと、ことに二〇世紀後半から二一世紀初頭にあらわれた、世界南部と北部を横断的につなぐ「反グローバリゼーション運動」において、反権、威主義的で同時に戦闘的な闘争として言説化／可視化された。それは党のイデオロギーや路線にしたがって組織された連帯とは異なる、なかば自然発生的な闘争現場の脱中心的な連合化を事とする。だが日本では、数々の友人たちの希望と情熱と努力にもかかわらず、この方向性が、他の多くの地域のように、ひとつの潮流を形成することはなかった。それはなぜか？　つづく考察は、この問いを留意しつつ進行するが、まずこの差異を分脈づけてみよう。

社会主義圏の崩壊とグローバル資本主義の世界制覇から今日をつなぐ闘争経験をもとにして、（六八年をふくむ）一九六〇年代／七〇年代までのそれをふりかえる時、これらの差異の歴史性がきわだつ。言い換えると、ここで起こった転換を逆に判断するふたつの「革命論」が、浮かびあがる。「軍事主義」によって「戦闘性」を統制しようとすることと、「戦闘性」を自律的に発展させようとすることである。軍事主義とは、簡単に言ってみずから「国家になろうとすること」であり、闘争の拠点的／組織的自律を強化するために、戦闘性を保持してゆくことは「その拒絶」である。[6]

連合赤軍をふくむ新左翼諸党派は、おおよそ前者をとった。それらは、ロシア革命、中国革命、そして第三世界の反植民地独立革命の達成を批判的に踏襲し、あくまでも国家政権の奪取を優先させながら、主要敵であるアメリカ帝国主義を筆頭とする資本主義諸国家、および副次敵であるスターリン主義／修正主義諸国家と対決し、戦闘的革命勢力の国際連帯による共産主義の達成をこころざした。かくして「権力を取ることによって世界を変える」志向性は、前衛党に主導された暴力革命から、社会民主主義的な選挙政治による政権拡大までの戦略的バリエーションを含んでいた。

この方向性からすると、六〇年代にあらわれた様々な戦線の間の「中心なき野合（アナーキーな）」とその「未組織的戦闘性」は、その大きな趨勢にもかかわらず、結局ひとつの勢力へと統一されず、七〇年以降の対抗性の停滞の中で、未熟な武装と愚かな分派闘争のせいで、革命にむけた大衆動員に失敗した、ということになる。

権威主義的前衛党は、自らの外に存在する民衆的「戦闘性（ミリタンシー）」のアナーキーな力を、国家の基盤としての暴力装置である「軍隊の似姿」に組織し制度化しようとする。ことさら連合赤軍と新左翼諸党派の「軍事主義（ミリタリズム）」は、おのれを通常の統治国家というよりも、いわば小規模の「軍事国家」に似せていった。それは「経済が政治に表現され、政治が軍に表現される」あるいは「政治の土台に経済があり、政治を土台にして軍がある」という統治国家の階梯を、「軍が政治を表現し、軍の政治が経済を表現する」あるいは「軍を土台として政治があり、軍の政治を土台として経済がある」というふうに逆転させる。[7] つまりここでは、革命の担い手は、政治政党を超えた「軍＝前衛党」となる。かくして連合赤軍と新左翼諸党派は、軍と化した党を、ミクロレベルで演じることで、他の国家との抗争によってのみ、自らの同一性を維持するという「原国家(Urstaat)」[8] の本質を露呈していった。

ではどのように日本において六〇年代にあらわれた戦闘性は、七〇年代の軍事主義へと回収されていったか。それは母型（マトリックス）としての日本共産党から決別した左翼反対派勢力が、「分裂生成

（schismogenesis）[9]」していく中で、その活性化と停滞の挙句に、起こったことであった。
「議会主義」に転向した日本共産党に対して、あくまでも「革命」を志向する大学生集団が、新左翼組織（共産主義者同盟BUND）を立ちあげ、六〇年安保闘争で主導的役割をはたすが、その総括をめぐって分解する。この分解を契機に、幾重にも分岐してゆく「分派（セクト）」の間の合作／折衝／抗争が開始される。セクトは、それぞれ体系的な理論による路線と指導体制の確立、そして学生と労働者の組織化によって、左翼反対派から唯一の「革命政党」への転化をはかった。それらは同じ闘争現場で合作することもあれば、その路線の違いと組合や大学の統制権——何よりも「全学連」の旗のもとでの「学生自治会」の主導権——をめぐって対立していった。大学拠点の勢力分布図が固定化され、情勢が停滞していったことに対して、六〇年代後半には、非党派的（ノンセクト）な革命派によって、闘争勢力を脱中心化し再活性化する「全共闘」が設立され、日本列島を縦断する大学／高校バリケードストライキを実現していった。それらのバリケード自律圏を拠点として、党派も非党派も、学生も労働者もふくむ、多種多様な力が——抗争／折衝／合作をくりかえしながらも——共に大学／街頭／共同体（三里塚、沖縄、寄せ場など）の闘争現場に介入し、総体として（六八年と呼ばれる）蜂起的状況を実現した。現在の視点からみて、この趨勢は、前代未聞の強度と規模をほこるものだった。だが分裂生成は、別の局面をそだてる可能性を秘めていた。

運動が全体として上げ潮時にあるとき、行動的な諸集団は、多様に分岐して拮抗しあっているという、まさにそのことによって、多大の効力を発揮する。関係性の集約としての独自性の保持は、絶えざる他派の行動水準の超克を、強迫神経症的に要請するからだ。だが、全体としての運動の沈滞期には、その同じ性質が逆に負の要因として働く。各党派の独自性は緊張関係にほかならないから、それを無理強いにでも持続させようとし、関係意識（たとえば競争や敵対や憤怒）を身近な対象に実体化してしまう。[10]

高橋和巳が、看破したように、いわゆる「内ゲバ」は、他者と他者の間では起こらない。他者性に基づいた未知なる対立抗争からは生まれない。それは、互いの違いを認知し別れを祝うかわりに、振られた恋人につきまとうストーカーのような、同じ集団に属していた仲間の離反への悔恨から生まれる。それは戦闘的集団が、大きな闘争の後、その敗北あるいは停滞の後、その後始末や価値判断（総括）をめぐって分裂するとき、双方が相手を自分たちの勢力を奪う裏切り者とみなすことから始まった。ことにそれが、日本社会内の対抗勢力という同じ地理的／集団的／知的閉域の中で、絶対者の称号を賭けた競いあいになったとき、殲滅戦に向かっていった。それがことさら「戦闘性の軍事化」と絡みあって進行していたことを特筆すべきである。

七〇年反安保闘争のあと、それに全力をつぎこんだ諸党派は、記憶にあたらしい六〇年代蜂起と安保更新阻止の失敗という矛盾に直面して、権力奪取へと全力集中する他なかったのだ。その時、限られた拠点と闘争現場において、それぞれが理論的／組織的に、唯一正統な「軍＝革命党」を自認していたために、他党派の実在を名目上も実質上も認知しえなくなった。ふたつの論理が相互破壊を駆動していた。矛盾をはらんだ他者を解体し吸収する「弁証法的統一」の論理であり、それを拒否する裏切り者を懲らしめる「報復」の論理である。これらふたつの論理装置(アパラタス)が、六〇年代に生成した多種多様な戦闘的闘争の連合を解体したのである。

まさにこのような状況において、連合赤軍は、ことさら「怪物的統一体(キメラ)」として出現した。それは逆に、とても近親同士とは言いがたい、対極的な位置にある二者の不可能な婚姻であった。日本共産党革命左派（神奈川県常任委員会）と共産主義者同盟赤軍派は、それぞれ毛沢東主義者（日本マルクス・レーニン主義者同盟、日本共産党左派）の中から、またトロツキスト（共産主義者同盟）の中から、きびしい分派闘争をへて自己形成し、ともに最高指導者を官憲に取られていた党派だったが、イデオロギー的矛盾（反米愛国と国際主義）と組織論的矛盾（人民の海と前衛主義）を、「銃という物神」を媒介とする「革命戦争」という「賭け」によって統一しようとした。この無理をとおす唯一の方法として――ことさら連合赤軍において明らかな、だが新左翼諸党派全般に共通する――「理念による恐怖支配」が出現した。それは限度なき競いあいの中で、ますます生と闘争の日常から切り離され妄想化されていった「メタ理論」を路線化することで、参加者全員が過酷な自己否定と、生死を賭けた責務遂行を互いに強制しあう支配体制であった。再び高橋和巳いわく「共犯性によってしか集団の絆をたもてないまでに崩れ去った理念、それが恐らくこの事件の犯人である[11]」。

後者の「革命論」は、世紀の変わり目以降、世界的傾向となった反権威主義的な民衆闘争、あるいは「権力を取らずに世界を変える」という志向性を基盤としている。この視座から六〇年代

／七〇年代の闘争をみると、そこでは異なった場所にあらわれ、異なった目的を持った多種多様な闘争の競合が形成する「民衆的戦闘性」が、権力との闘いの激化の中で、勝利か敗北かという情勢の分岐点にいたり、階層序列的な軍隊組織（あるいはミクロの軍事国家）へ転化せざるをえなくなり、その敗北とともに蜂起の趨勢全体が収束していった、ということになる。

　こうした民衆蜂起の勃興と（勝利し国家になるにせよ、敗北し消滅するにせよ）その終焉の出来事は、日本のみならず、古今東西はば広くみられる。人類史的定式としては、民衆蜂起は、それ自身が権力になるか、弾圧されて消滅するかしか選択肢はない。この定式への不可能な挑戦として、非国家的な自律圏の創造／保持／強化のために、武装をふくむ自らの「力能化＝戦闘性」を、革命の目的論（テレオロジー）にしたがって軍事化するのでなく、より柔軟にかつ創造的に育ててゆく闘争があらわれた。この挑戦の事例としては、過去の軍事主義への反省から出発した「ザパティスタ民族解放軍（ＥＺＬＮ）」や、「クルド人労働者党（ＰＫＫ）＋クルド人民防衛隊（ＹＰＧ）」が非国家的自律圏をめざして出現し、諸国家の包囲攻撃にたえつつ、水平主義的な自律権として奇跡的に生き延びている。そのことが、世界中の反権威主義（あるいはアナキスト）的闘争を元気づけている。

　反権威主義的な民衆闘争の本質は、方法的な「力の論理」の実践にある。それはどういうことか？　その「戦闘性（ミリタンシー）」は、権力との対抗性において、定式的な勝利を遅延させ、「異なる力」として、権力を解体することをめざす。言い換えると、敵権力の「力（power-over／pourvoir）」とおのれの「力（power-to／puissance）」との存在論的非対称性を保持しつつ、敵権力の解体と自己の力能化の同時性を獲得するために「戦闘性」を錬磨するのである。かかる「力の論理」をもとにした「革命」は、特定の場所の闘争を基盤にしながらも、その場所で完結することはなく、複数の「場所＝闘争」の共振としてのみ可能になる。つまりそれは、一回性の「出来事」として起こり、その結果として獲得されるものではない。それは、絶えざる「実験」として試される、終わりなき「過程」たらざるをえない。

自己解体の行方

「世界を全面的に変革する」という志向性の主体化は、紆余曲折に満ちた過程である。例えば六〇年代後半から七〇年代初頭にかけて、蜂起的状況が高揚しながらも、全国全共闘の闘いが臨界点をしめすにつれ、学生の参戦者個々人は、生の転換を迫られることになった。「自己否定」を契機とする「自己解体と再生」である。それはこの時期の抵抗運動に起こった集団的な、あるいは社会的な現象だった。これは「抗議行動」がその可能性の限界をしめし、「革命」にむけた趨勢の集中が要請される時、不可避的に起こる事態であり、世界中、観察されている。それが、ことに七〇年代日本の新左翼運動において、正負双方の意味で、劇的な事態をまねいた。それは一方で、軍事主義の内面化とともに集合的な「死の欲動」をつくりだし、他方では、日本という閉域の領土性と社会性そのものを否定する、あるいは超出する異なった闘争の地平を切り開いていった。わたしの考えでは、日本の新左翼が、わたしたちに遺したもっとも重要な可能性は、これがはらんだ両義性にある。

この時期、学生運動は、あらゆる主題の政治行動を主導し、かつ学費値上げや不正管理など、各学府に固有の問題に挑戦していたが、そういった諸々の企画の沸騰点において「公教育解体」が叫ばれるようになった。バリケード封鎖と街頭闘争の往復の中で、学府の空間にその外部が呼びこまれ、社会的階級を再生産しつづける公教育そのものを、解体の対象とすることになったのである。

それはまず「自己否定」という形をとった。高橋和巳によると「たとえば封鎖という戦術にしても、人はバリケードをめぐっての攻防といった外面にしか注意しないが、自分たちがそこで研究・勉学を行う場所の一切の機能を停止せしめて、内部にじっと籠っている状態の持続は、(……)これも大規模な自己否定の側面をもつ。そしてそれが同時に、旧来の制度や秩序、日常性等々に対しては衝撃的な攻撃体制でもあるという二重性を持つのである。[12]」

この自分を切ることで敵を切る武器としての「自己否定」が、ことさら全共闘運動の収束とともに、学生という立場をすて、社会の下層階級の生活圏/闘争圏に飛びこむ、大きな潮流を形成していった。「大学解体」から「自己解体」への転換である。革命を志向する闘士たちは、大学や高校から、三里塚へ、沖縄へ、寄せ場へ、そして海外の戦場へと散っていった。それは、中華人民共和国における文化大革命中の「下放」をはじめとして、世界中で革命期において観察されてきた、学生の労働者や農民への自己改造、知識人の兵士への転身、中産階級の下層階級への方法的転落、等々の変奏でもあった。

この決意を促したのは、学生の労働者や下層階級にたいする階級的罪責感といった道徳的契機でもあったが、それだけではない。そこには自己否定を契機に、国家社会の現状そのものを否定し、別の世界をつくるという「変革への意志」が介在していた。全共闘の主要な組織者の一人であった津村喬の表現によると、「この不可能的可能性は、「自己否定」という言葉でいいあらわされた。抑圧が自己抑圧——不可能のシステムとしての——だからこそ、反逆は自己否定として見出されざるをえなかったのだ[13]」。

かかる自己否定は、七〇年代において、いくつかの異なった行方に赴いた。その負の極北が、連合赤軍であった。この集団が、その軍事主義の内面化のなかで、共につちかった「死の欲動」であった。[14] それは日本近代の知的社会が慣習化してきた、歴史的過去あるいは遠く離れた異国のモデルを理念として絶対化し、それをとおしてのみ自分の目前の現実を判断するという因襲を、絵に描いたように演じていた。かくして闘士たちは、こぞって理想的な「党＝軍隊」を構成する完璧な「共産主義者＝兵士」たることを志願したのである。はじめから実現不可能な目的因(テロス)に対して、不完全な自己を断罪する材料が、終わりなき目録をつくっていった。そしてそれが「総括(synthesis)」と呼ばれる「人民裁判」として上演された。そこでは、個々人の実存のすべての様相が、死刑に値する大罪と判断されていった。もっとも残念なのは、ここでは同志と共産主義的関係性をつちかう「共感性」も、転生の可能性にともなう「喜び」も、懲罰の対象にしかならなかったことである。連合赤軍が実践していたことの内実は、集団的人間関係／武装の技術／自然環境とそこでの生存術／建築術など、そうでなければ、それ自体が、戦後日本の情報消費社会には存在しない「新しい生の形式」の構築につながる実験だった。それら全てが、「力の倫理」あるいは「自律の力能化」のために活かされることなく、「死の裁判」と「光明なき銃撃戦」に回収されていった。

だが自己否定／自己解体は、武装闘争において、陽の行動企画もつくり出していった。東アジア反日武装戦線は、その飽くなき調査に基づいて選択された対象への爆弾攻撃によって、日本帝国の拡張主義を戦前から戦後まで支えてきた天皇制や国際企業など、権力の連関を地図化し、その影響下で生活圏を奪われてきた東アジア人民のネットワークを可視化した。それにもとづいた「狼」「大地の牙」「さそり」という三つのアフィニティー・グループの脱中心的連鎖攻撃が、日本の寄場と東アジア全体の流動的下層民のつながりを実体化した。この闘争において、学生／中産階級の自己否定は、日本国民国家の歴史性／領土／市民社会を暗に支えてきた「暴力」の否定へと拡張された。

日本赤軍あるいはアラブ赤軍は、共産主義者同盟赤軍派の中で、パレスチナ人民との連帯のために、連合赤軍結成に参加せず日本を脱出したメンバーを中心に外地で組織された。この戦線にくわわった闘士たちは、まさに日本人としての自己を解体し、世界ゲリラ兵士へと再生することに成功した。数々の軍事作戦にくわえて、ハイジャックと大使館占拠によって、連合赤軍や東アジア反日武装戦線の闘士たちを含む、牢獄に繋がれていた何人かの同志たちを、日本国家による収監から解放し、やはり世界ゲリラ兵士となって脱日本人化させることに成功した。この闘争のめざましさは、日本革命を、いったん脱領土化し、外回りのグローバルな回路から志向しなおしたことにある。社会主義圏の崩壊後、物理的支援体制の終焉も影響してか、運動体として分解し、ほとんどの闘士たちは、日本国家によって捕獲され、日本社会に再領土化されていった。

これらふたつの闘争の記憶は、連合赤軍や新左翼諸党派のそれとともに、現代日本の市民社会において、禁句になっている。東アジア反日武装戦線は、その爆弾闘争が起こした殺傷について、日本赤軍は、その資本主義世界に対するゲリラ戦争について、道徳的に忌避されている。その点で注目したいのは、国家社会の世論をなぞる人道的的批判ではなく、それらの稀な「反権威主義的武装闘争」にたずさわった闘士たち自身による、その経験の倫理的反省と詳細な分析である。これらの闘争は、日本社会をその外部から形成しながらも、その内部では封印されている「暴力によって形成された世界」との対決だったのだから。

全共闘運動の「自己否定」は、津村喬によると、二つの政治存在論的矛盾をはらみつつ、それ以降の闘争領域をつくっていった。（1）アジア人民と日本帝国主義の矛盾、および（2）「中央」と「地方」の、工業化と居住の矛盾、である。[15]

（1）について、わたしの解釈では、すでに述べたように、東アジア反日武装戦線と日本赤軍が、「日本人という主体性」の自己否定／自己解体／再生の地平を極限的に拡張した。そのほか当時の文脈では、在日中国人のグループ「華僑青年闘争委員会」が、出入国管理法に対する闘争の中で、そこに参列するグループの選択をめぐる、革命的共産主義者同盟中核派をはじめとする日本の新左翼の一方的な決定を批判し、それに対して新左翼グループが次々に自己批判していったことが知られている。これが日本の革命派が暗黙裡に育てていた自己中心主義を改める転換点となったと言われている。

日本国民という主体性は、戦前におけるアジア侵略の歴史をもち、戦後にはアメリカ合衆国の利権の統制下にあって、さまざまな次元においてアジア人民との齟齬を内包せざるをえない。さらに今日では、高齢化／人口減少の影響で、アジア人労働者がますます日本に移住するようになり、これまでのような同一的包領を保持していくことは困難になっている。そうした諸々の他者との共存の中で、日本人という国民性を特権化する差別主義に対して、それを改めて解体し再構成することが新しい「闘争の地平」を開いてゆく可能性がある。

（2）は「情報消費社会の市民という主体性」の自己否定である。七〇年代以降の日本において拡大しているのは、これに発する「闘争の地平」である。それは三里塚の空港建設をふくむ、ますます拡大していく資本主義／国家的開発にたいする闘争である。水俣水銀汚染にまつわる闘争、反原発、反公害闘争、寄せ場における日雇い労働者と野宿者の闘争、そしてそこに脱消費社会的／脱都市的共同体づくりをくわえると、はば広い意味での資本主義／国家的開発に対抗する「住民闘争（inhabitants' struggles）」が浮かびあがる。[16]

かかる住民闘争は、最近では、福島原子力災害をはじめとする様々な環境危機の中で、ますますその活動領域を重層化し拡張している。ことに生の再生産の自律的管理と脱都市的共同体の構築が際だっている。それらは六〇年代までのように政治／経済／社会問題に主題をしぼった闘争から、七〇年代以降さかんになった個々の心身／再生産／環境を網羅する「分子革命」あるいは「全面的な闘争の地平」を開示している。それらが戦前日本帝国の歴史的残滓を引きずりながら、戦後日本の情報消費管理社会で醸成された主体を解体する、存在論的革命の必要性と欲望を体現している。そこでますます明らかになってきたことは、世界変革の闘いは、そもそも「否定への意志」のみならず、つねにすでに、この資本主義国民国家に醸成されたそれとは「異なった生への欲望」に裏打ちされていたことである。やはり津村喬が、七三年すでに、六〇年代をふりかえって、看取していたように、「党派は「大衆」を政治的に組織すれば足りるし、それ以上のことは「権力奪取以前」にはできないと主張していた。だがこのつかの間のまつりの中で、人々がもとめたのは、「生き方を変える」ことであり、「人間を解き放つ」（F・ファノン）ことにほかならなかった[17]」。

日本革命の地平

ここで「闘争の地平」と呼んでいるものは、わたしたちが生き闘う場所であり、その場所から発する想像力の拡張である。それは国民国家による捕獲とそこからの逃走線によって構成されている。それは、わたしたちが変革しようとする対象なのだが、わたしたちの身体／心／知性／感性／関係性は、おおよそそれによって規定されている。言い換えると、わたしたちが、それを変革するというのは、それに対抗するだけでなく、それに規定されている自己の否定／解体／再生を駆動力として、それを解体し超出するということである。つまり「地平」とそれに規定されている自分自身を解体することなく、それを変革することはあり得ない。かくして「地平」を舞台とした自己否定／解体／再生への意志と欲望は、世界変革への意志と欲望と相即である。

その意味で、連合赤軍は、この上なく強固な「変革への意志」の共有を規範としていた。だがその反面「変革への欲望」を共に育てる自律圏の構築をないがしろにした。そのことで創造的な自己解体／再生の契機をのがしてしまった。それぞれの手記の中でつづられた彼／彼女らの自己批判を読むかぎり、抽象化された理想に対する、自己の不完全さを罵倒する言葉が、それぞれの実在の証を覆ってしまっている。そこには間違いなく、そうと意識せずに悲しいほど真面目に日本的地平（つまりその精神主義と権威主義）に捕獲されていた若人たちがいる。吉本隆明が言ったように、彼／彼女らは「共同性の次元に、家族も個人も、全く包括してしまう」ことで、「帝国軍隊といっこうにかわらぬ[18]」関係性をつちかっていった。それは最終的に「民族〈国家〉を至上とする〈人民〉の〈軍隊〉というところにしか収斂しようがない[19]」。言い換えると、それは、変革の対象である敵（日本資本主義国民国家の地平）との対抗の中で、軍事主義にすべてを従属させたことから、逆にミクロの次元で敵の似姿になりかわり、その閉域的領土と権威主義的関係を、最も純化された形で再現してしまった。脱構築的に言うと、連合赤軍は、その極端な精神主義的／権威主義的軍事路線によって、戦後消費社会の下層に存続しつづける日本国家の歴史的本質を自演していたのだ[20]。

その後、今日までの間に、日本社会と抵抗運動の内実は大きくかわった。新左翼諸党派による軍事的革命路線の敗退ののち——釜ヶ崎、山谷などを例外として——反権威主義的で戦闘的な運動が潮流をつくることなく、平和的／合法的な手段によって「権力を取って世界を変える」運動が、つまり自由主義的革新運動が「左」の主要な潮流となっていった。反原発にせよ、反政府にせよ、反人種差別にせよ、ほとんどの大きな抗議行動は、その潮流に吸収されている。それらが主催する抗議の対象は、単一問題(シングルイシュー)に絞られ、また抗議のスタイルは合法的な集会とデモに限定され、「多様な集団」と「多様な戦術」の共鳴による闘争の力能化は、あらかじめ禁じられている。言い換えると、この潮流をとおして「国家社会」が大手をふって復帰している。

他方で、少数派となっている反権威主義的あるいはアナキスト的潮流は、アートとアクティビズムが交差する抗議行動、相互扶助的なコミュニティー運動、社会的に言葉を失われた人々の支援活動、等々に向かっている。これらの企画を駆動しているのは日本という地平の否定に裏打ちされた「変革への意志」ではなく、異なった社会関係と環境にまつわる「感受性」をもとにした、異なった生への「欲望」であろう。変革の主体化における「意志から感受性」への転位は、ある意味で世界的な傾向である。

革新的なオピニオンリーダーたちは、これらの変容を、政治社会運動が過去の反省から主体的に選んだ「暴力革命路線から平和的改革路線へ」あるいは「前衛主義的運動から大衆運動へ」の転換とみなす傾向がある。わたしの考えでは、それ以前に、そのような傾向を存在政治的(オントポリティカル)に不可避にする「世界の物質的変容」に注目すべきである。それは日本という地平を支える下部構造の圧倒的な強化である。

七〇年代にはいってから、松田政男や津村喬など革命派の理論家が、六〇年代闘争を反省しつつ、新しい権力形態の出現を指摘した。「風景論」[21]と「メディア論」[22]である。それらは、当時、日本だけでなく、先進資本主義国全般で起こっていた、それまでの政治的存在論の枠組みでは対応しえない「国家社会の物質的変容」を捉えようとしていた。それらが対象化しようとしたのは、それまでの反権力闘争の戦術のように、局所的に妨害しても／占拠しても／焼きはらっても／爆破しても、消滅させることができない「下部構造的／技術的／網状組織的」権力である。それは世界中を潜在的／実質的な戦場にする軍備競争であり、大地を構築物と交通網で覆う開発であり、個人と社会を同質化（ホモジェニゼーション）する情報／記号資本主義など、無頭権力（アセファリックパワー）の浸透と拡張に体現されていた。それらは同時に、それらが実現する高度経済成長／消費／メディア／管理社会において、便利な生活を享受する市民、つまり「情報消費社会的主体」と、それによって生活を奪われていくさまざまな「他者」を過酷に分断していった。そこでは、前者は言葉を持つ者／見える者であり、後者は（犯罪か病理の他には）言葉を奪われた者／見えない者となっていった[23]。

この傾向の延長として、今日では、増加している外国人労働者やホームレスが、社会的に不可視化され、市民の特権の外で生きざるをえない。他方で、日本という地平の世界からの閉鎖的包領化が再び起こっているように思われる。日本の外部、海外の思想や出来事が、都合よく受容しえるような情報／記号に還元されている一方で、六八年の世界蜂起において間違えなく体験されていた、外の出来事との「生きた出会い」をもとめる欲望が、ますます忘れられているように見える。このような社会的変容の下で、六〇年代／七〇年代の戦闘的闘争は、「意図は正しくとも方法的に間違っていた運動」として、あるいは「過去の汚点」として葬りさられている。かくして現代日本社会は、その内部で「対抗性をつちかう（実存的／思想的）他者性」を、異常あるいは犯罪として除外し、そのことで世界を全面的に変革する「意志」を抹消しつつある。そして少なくとも表面上、この世界で、あらゆる専制的指導者たちがうらやむような、最も統治しやすく安定した社会になった。だがこの「静態（スティシス）」は、包領化された日本の社会情勢に起因するだけのものではなく、グローバルな地平において、宗主国アメリカの対中国前線基地という使命によって構造的に決定されているのではないか。

変革の主体化をめぐって

このような現状に向けて、連合赤軍という出来事は、結局、何を問うているのか？　わたしの考えでは、連合赤軍は、そのあまりに無垢な「変革への意志」のゆえに、これまで通説とされてきた「革命思想」の終焉を、このうえなく象徴的に演じてしまった。そのことで、いまもなおわたしたちを呪縛しているその合成要素（concatenation）――「日本という国民国家の地平」において「権力を取ることで社会を変える」――の有効性を根底的に問うている。そしてそのことで、異なった構成要素、あるいはその主体化の可能性を示唆している。本稿を閉じるにあたって、それを想起してみよう。

この全面的な危機と災害の時代に、合法的に「権力を取って世の中を良くする」こと、つまり社会民主主義が、日本でもアメリカでも、はば広く認知されている。[24] 革命派もアナキストも、時と場合によって、それと連合していくことを選んでいる。政治／経済／社会的な平等性を保証する政策は、ある次元で間違えなく重要である。また新しいファシズムの拡張を阻止する上でも、有効かもしれない。ただしわたしたちが頼らざるをえないと感じる、この次元の解決策の限界は、これまでも歴史的反復として経験されてきた。そして現在それが、ますます厄介な形をとっている。

社会民主主義の第一の限界は、回帰する国民国家による捕獲である。わたしたちは、すでに資本主義／国民／国家の地平に生き、それに対して闘っている。そしてそのうえ戦時下や大災害中など、異例事態の度に「国民的利害の優先」の強制力によって、自律の領域をひとつひとつ奪われてきた。近代の資本主義／国民／国家は、よりよい民主主義的統治においてさえ、その社会体の内に、全体主義とファシズムを生みだす「原国家」と「原国民」を孕んでいる。たとえば現在アメリカ合衆国で進行している新しいファシズムによる各州政府ののっとりは、多かれ少なかれ世界的出来事として反響している。

第二に、よりよい民主主義的政権が、国内で統制しえない、グローバルな資本主義／国家的開発機構が、それに起因する戦争と災害もふくめて、わたしたちの実存と環境を変異しつづけている。それが地球身体と、そこで全体化し拡張しつづける「世界」との非可逆的齟齬としてあらわれている。かくしてわたしたちは、非可逆的な実存諸領域（心身／社会／環境）の危機を体験している。なぜ、地震国日本において、あの福島災害の後でさえ、原子力開発は停止されないのか？ 日本経済のための日本政府の決定という形をとってはいるが、それは別の次元で、資本主義／国家的開発を止めることを許さない、グローバルな「無頭権力（アセファリックパワー）」としての「軍産複合体」の要請でもある。

こうした何層にもわたる複合的権力に対抗する闘争は、実存諸領域を網羅する「存在政治的（オントポリティカル）闘争（ストラッグル）」とならざるをえない。それは、何によって可能なのか？ 新しい変革への「意志」と「欲望」と「感性」の合成（concatenation）が必要なことは間違いない。それは、すでに存在している脱資本主義的な「生の形態」への「欲望」と脱国民国家的に身体／社会／大地と関係する「感性」が、あらためて「変革への意志」を醸成していけるかどうか、にかかっている。

新しい変革への意志とはどんなものか？ わたしたちのこの「世界」は、西洋植民地主義の世界制覇の中で、もっぱら資本主義／国民／国家によって形成されてきた。そしてそれは、その全体化と拡大の限界に達して、惑星全土で地獄をたちあげ始めている。これとは異なった「地球的現実」を希求する意志である。それは歴史的に形成されてきた資本主義／国民／国家を、それぞれの場所で解体する戦闘的自律圏の地球的な連合を形成する意志である。言い換えると、国家権力との存在論的非対称性を保持する「戦闘性」によって、各地に対抗的自律圏をつくり、それらの間の――国民国家の領土を横断する――惑星的連動あるいは共振を組織する「意志」であろう。それは惑星的な連合の地平の発見と共に進行する。

だが、そこには究極的な問いが横たわっている。そもそも国民国家の代表によって構成されていたために「インターナショナル」の組織化は――二度の世界大戦と冷戦とそのあと――つねに「世界」の領土性に捕獲されていた。他方で、わたしたちが実際に「惑星的な連合」を感得しているのは、六八年のあと、幾度かくり返されてきた蜂起の共振をとおしてである。つまり組織化によるのでない出来事の生成としてである。このような「生成」を「意志」によって方法化することは可能なのか?

今のところ想像的な筋書き以上の答えはない。いずれにせよ、その出発点は、それぞれの場所において現に進行している事態にもとめる以外ない。日本では、全共闘の自己否定、つまり「国民的主体」と「情報消費社会的主体」の解体/再構成を、今日の文脈で継承する「欲望」と「感性」である。

それはまず、戦後日本の情報/消費社会とともに形成された理想――会社員/主婦/郊外のマイホームとマイカー/核家族――に代わる「幸福」の発見である。おそらくそれは日本市民社会を統治するもっとも有効な原理であった。そしてその物質的/非物質的無理が六〇年代の民衆蜂起と七〇年代以降の社会的/環境的カタストロフに体現されてきた。この支配的価値の物質的瓦解は、アメリカにおける郊外生活の頽廃と平行している。昨今では、この瓦解は、「意志」によって決定しえない(被曝、コロナ感染、少子化/老齢化など)集合身体の変異に引き継がれている。そしてそれと相即的に、脱資本主義化／脱都市化にむけて「生き方を変える欲望」が、ますます民衆の生の中で実体化してきているように見える。

次にそれは、日本人という国民的主体の解体とそこから再構成される「何らかの特異的主体」である。これは六〇年代／七〇年代の民衆闘争の遺産である「日本帝国的主体」の自己否定と東アジア連帯に則って、「地理歴史的(ジェオヒストリカル)」な「感性」を再構成することによって可能になるだろう。それは徳川幕府による鎖国以降、日本近代国家が、国民統治の基盤としてきた「群島(アーキペラゴ)」の「島国(インシュラー)」化という「地政的装置(ジェおポリティカル・アパラタス)」を逆行させ解体するような知と文化である。[25]かくして生産される「感性(コスモロジー)」は、天皇制を中心とした日本人の歴史的同一性と島国的国民国家の地政学(ジェオポリイクス)とは異なった時空間を希求している。それは国民国家の領土化によって分断されない東アジア民衆の連関と、国民国家の領土化によって分節化されない大地との関係性を再発見する「欲望」でもある。

わたしたちの現在にとって、世界を変えることとは、国民国家間の階層秩序が形成する「世界という地平」を解体することであり、それは戦闘的自律圏と蜂起の惑星的連動／共振によってのみ可能である。わたしたちの「革命」は、今や地球的主体化と同義なのである。だが、そのような主体化は、そのつど自ずから制度的枠組みをすり抜ける生成としてしかありえない。

註

1 ジル・ドゥルーズ『ニーチェと哲学』、江川隆男訳、河出文庫、二〇〇八年、一四五頁。

2 桐山襲「〈雪穴〉の向こうに——森恒夫『銃撃戦と粛清』／植垣康博『兵士たちの連合赤軍』」、『桐山襲 全作品Ⅰ』、作品社、二〇一九年、三七〇頁。「つまり、一九七二年の〈雪穴〉は、未来へと向けて継承されるはずだった幾つもの言葉を埋めこむことによって、それまでこの国に存在していた前後民主主義と新左翼運動の思想的力を、社会から根こそぎにしてしまうほどの決定的な威力を発揮したのだった。」

3 津村喬「山上の垂訓——赤軍報道覚え書」、『メディアの政治』、晶文社、一九七四年、一九九頁。

4 吉本隆明「情況への発言（一九七二年六月）——きれぎれの批判」、『吉本隆明著作集（続）10 思想論Ⅱ』、勁草書房、一九七八年、二九〇頁。「永田洋子でさえ、なぜこうなってしまったのかわからない、とのべているリンチ殺人の必然性を、他から解ったような顔をして論ずるわけにはゆかない。」

5 ジョン・ホロウェイ、『権力を取らずに世界を変える』、大窪一志、四茂野修訳、同時代社、２００９年。

6 Pierre Clastres, Society Against the Sate, translated by Robert Hurley in collaboration with Abe Stein, Zone Books, 1989.; Archaeology of Violence, translated by Jeanine Herman, Semiotext(e), 2010. Gilles Deleuze and Félix Guattari, A Thousand Plateaus, 1227: Treatise of Nomadology – The War Machine, translated by Brian Massumi, University of Minnesota Press, 1987.

7 久野収「市民的権利の立場から」、『内ゲバの論理——テロリズムとは何か』、埴谷雄高編、三一新書、一九七四年、二三九頁、初出一九七二年。

8 Gilles Deleuze and Félix Guattari, A Thousand Plateaus, 1227: Treatise of Nomadology – The War Machine, translated by Brian Massumi, University of Minnesota Press, 1987.

9 Gregory Bateson, Naven: A Survey of the Problems suggested by a Composite Picture of the Culture of a New Guinea Tribe drawn from Three Points of View, Stanford University Press, 1958.

10 高橋和巳「内ゲバの論理はこえられるか」、『内ゲバの論理——テロリズムとは何か』、前掲、三五頁、初出一九七〇年。

11 高橋和巳、同右、四二〜四三頁。
12 高橋和巳「自己否定について」、『わが解体』、河出文庫、二〇一七年、二三八頁、初出一九六九年。
13 津村喬「日本新左翼の化身と冒険」、『メディアの政治』、前掲、二二〇頁。
14 桐山襲、前掲、三七一ページ。「しかし、幾つかの資料から明らかにされたことは、それはやはり共同の行いであったということだった。死に至ったものたちもまた、半ば自らの意志と自らの力によって、死の世界へ向かって歩んで行ったのだった。」
15 津村喬「日本新左翼の化身と冒険」、前掲、二二二頁。
16 仲田教人「住民運動の中の『苦海浄土』と水俣病闘争」、『石牟礼道子――さよなら、不知火海の言魂』、河出書房新社、二〇一八年。
17 津村喬「日本新左翼の化身と冒険」、前掲、二一九頁。
18 吉本隆明「情況への発言（一九七二年六月）――きれぎれの批判」、前掲、二八六〜二八七頁。
19 吉本隆明、同右、二九一頁。
20 久野収「市民的権利の立場から」、前掲、二四六頁。「平和国家としての日本に、彼ら赤軍は自ら意識せずに、たいへんな問題を投げかけたのではないか。」／久野収、前掲、二五八〜二五九頁。「その意味では、今度の「連合赤軍」の事件は、日本全体の集団的倒錯の局地的モデルであると思う。彼らは対内的に仲間内では通用しても。外では全然通用しない理屈で自分を納得させていたわけで、そういう理屈は外気に当たれば自壊するのだという教訓をこの際はっきりさせておくべきではないだろうか。」
21 松田政男『風景の死滅』、田畑書店、一九七一年。
22 松田政男『不可能性のメディア』、田畑書店、一九七三年、津村喬、『メディアの政治』、前掲。
23 当時、言葉を失った者の自己表出として重要だったのは、連続射殺魔として知られ、最終的に処刑された永山則夫（一九四九〜一九九七）が、独房内の学習によって、力強い言葉を獲得して、それを日本の市民社会に突きつけたことである（永山則夫『無知の涙』、合同出版、一九七一年）。
24 たとえばアメリカでは、〈https://www.dsausa.org〉。

25 和辻哲郎『鎖国』上下、岩波書店、一九八二年、エデュアール・グリッサン『全―世界論』、恒川邦夫訳、みすず書房、二〇〇〇年、および網野善彦の諸著作。

「便所」をめぐる闘争　大江健三郎『河馬に噛まれる』を読む

石川義正

河馬の政治学

ジョルジュ・バタイユによれば河馬は「天然の怪物」である。[1] あるいは「醜悪で滑稽」であるとも「原始的形態をとどめている」ともいわれる。河馬と比較されるのは馬である。バタイユにとって馬は「プラトンの哲学やアクロポリスの建築と同じ資格で、理想の最も完成された表現の一つ」である。この対比には語源的な根拠がある――河馬はギリシア語で hippopotamos、すなわち河 potamos の馬 hippos を意味する――ばかりでなく、バタイユの思考の核心に存する「二分割」（二元論）に由来する、と美術史家のイヴ＝アラン・ボワは主張する。「この思考様態は、すべてを非対称な二つの部分に分かつ分割を作動させ、上方〔＝高級〕を下方〔＝低級〕から切り離し、その非対称性を通じて上方から下方への転落を含意する」[2]。ただしバタイユの二元論はブルジョワジーとプロレタリアートの階級闘争にみられる弁証法的な対立と異なり、むしろ弁証法そのものと対立する。バタイユの「低級唯物論」はマルクスが忌み嫌ったルンペンプロレタリアートの政治学、「代表にならない廃棄物」であり「その解放が社会という大きな建造物の同質性を保障するあらゆる構造の崩壊へと導くような異質性」[3]の政治学なのである。

大江健三郎が連作短篇集『河馬に噛まれる』（一九八五年）で引用する深瀬基寛訳のT・S・エリオットの初期詩篇「河馬」は一見すると――奇妙なことに、というべきだろうか――バタイユとよく似た「グノーシス派のマニ教的二元論」を共有しているように思える。エリオットはそこで「肉と血ばかりのかたまり」である河馬と「真の教会」とを対比させ、天使の合唱に囲まれ湿地源（サバナ）から昇天する河馬に対して「瘴気の霧に包まれ」た下界から動かぬペテロの教会の欺瞞を告発している[4]。ギリシアに対するユダヤ・キリスト教的伝統という相違はあるものの、上方と下方という空間的な二元論がそこに保持されている。詩篇の冒頭に「擬似パウロ書簡」の一つとされる『新約聖書』コロサイ書の一節が掲げられているが、なによりコロサイ書自体がグノーシス主義への反駁とみなされており、つまりエリオットの「河馬」は明示的にグノーシス主義反駁への反駁として構成されているのである。

むろん両者には決定的な差異も存在する。上方と下方の位階制（ヒエラルヒー）そのものを破棄するバタイユに対して、上方と下方とを転倒させるエリオットの「唯物論」はバタイユが批判した「観念論」の典型である。「ほとんどの唯物論者は、あらゆる精神的実在を排除することを望んだにもかかわらず、事物について一つの秩序を提示するに至っているが、その秩序たるや、階級制度（ヒエラルヒー）的関連からして、まさに観念論に特有の性格を帯びているのである」[5]。

大江が連合赤軍事件を題材にとった『河馬に嚙まれる』、そして――連合赤軍事件と題材の上で直接の関連はもたないものの――そこで呈示した図式を作家自身のテクスト連関において大きく展開したものとみなしうる『懐かしい年への手紙』（一九八七年）について、ここではバタイユ的な唯物論とエリオット的な観念論の両極に引き裂かれた力学のもとで読解してみたい。それは大江自身の自覚的な「転向」の軌跡であると同時に、連合赤軍事件以降、もはや避けることのできなかった時代の変容にともなう思考の運動だったのである。

食物連鎖とエントロピー

短篇集の表題にもなっている「河馬に嚙まれる」は、連合赤軍をモデルとした「左派赤軍」にかつて高校生で参加していた一人の青年につけられた「河馬の勇士」という渾名にもとづいている。ただしこの渾名は事件当時のものではなく、その十数年後にウガンダの国立公園で働いていたこの青年が河馬に嚙まれて大怪我を負った、という事故によって地元の人びとがつけたのである。語り手である「僕」（作家の「O」）は偶然の経緯から左派赤軍の最年少メンバーだった青年と文通するようになり、青年が「山岳ベース」で大量の糞便を湧き水によって沢に流す巧みな下水処理を施し、さらに糞便を川の滋養とする将来の構想まで抱いていたことを知る。「僕」は

「河馬の勇士」が「冬の山岳ベースで、「昔の仲間」の糞便を処理しようと努力をかさねた日々のことを、ある愉快さとともに思い出し、現実世界を穴ぼこではないものとして、再び受けとめる気力を恢復しうるのではないか？」という希望を込めて動物学者・小原秀雄の『境界線の動物誌』を「河馬の生態における水中の有機物との関係、つまり水中の動植物のエネルギー源としての河馬の糞、それをふくむ生物の食物連鎖ということについて、アフリカ旅行の経験を踏まえながら説いてある章に、赤い紙をはさみ「河馬の勇士」へ送った」[6]。

> 河のなかに緑の植生のかたまりができると、河は氾濫する。水中で盛んに活動する河馬は、植生のかたまりに通路を開き、水の流れを回復させる働きをする。河馬にはまた、ラベオという魚がまつわりついており、河馬が陸上からおとしこむ植物や、河馬自体の糞を食べる。そのようにして河馬は、アフリカの自然の生物の、食物連鎖に機能をはたしている。小原氏の記述に僕は誘われる。ラベオと呼ぶ魚の群れをまつわりつかせつつ、水流をとざす緑の植生のかたまりに通路をあけるべく、猛然と泳ぐ河馬の暮らしぶりが、有用なものとして排泄されるそいつの糞便ともども、人を励ます眺めではないか？　おそらくは気の荒い牡の若い河馬に嚙みつかれるほどまぢかから、活動を見まもっていた者にとって、河馬の働きはいかにも勇ましく奮いたたしめるていのものではなかっただろうか？[7]［傍点引用者］

食物連鎖の一部として機能をはたしている河馬は、修辞としては食物連鎖そのものの提喩である。食物連鎖（食物網）とは、生物学の教科書ふうに記述するなら「生産者」・「消費者」・「分解者」という三者によって成り立っている関係性である。生産者は光合成する植物、消費者は植物を食べる草食動物と草食動物を食べる肉食動物、分解者はそれらの動植物の死骸や排泄物を分解処理する微生物とされる。したがって河馬はひとまず食物連鎖における消費者に分類できるが、しかしこの単純な機能主義的な説明では河馬の生態はかならずしも十全に捉えきれていないようにも思える。大江の記述によれば、河馬はたんに植物を食べるだけでなく、「水流をとざす緑の植生のかたまりに通路をあけるべく、猛然と泳ぐ」ことで水流を回復させ、植生の再生を促している。さらにラベオと呼ばれる魚が河馬にまとわりつき——『境界線の動物誌』によれば——河馬にへばりついた水生植物や河馬の排泄した糞を食べることで、植物を消費するだけでなく、河馬の健康をケアする役割も果たしているらしいのである。

食物連鎖は——生産者や消費者という語彙から推測できるように——経済学をモデルにしている、と藤原辰史は興味深い指摘をしている。「経済学である以上、生物の世界は市場として比喩される。ジャングルであれ、サバンナであれ、この「市場」には、さまざまな植物や動物が同じ価値体系のもとで存在していることになる。ちょうど市場が貨幣を媒体とした価値体系に基づいているように。生態学の場合、貨幣に代わるものはエネルギーや物質であるが、生産者、消費者、分解者が行き交う場所、つまり食物連鎖のリングでは、自己保存の欲望を満たすか満たさないかという価値体系が渦巻く。自己保存、つまり、エネルギーを生み出し、それをもとに、細胞の物質の出し入れを管理して、組織や器官を動かすことが、このシステムの貨幣となっているのである」[8]。

食物連鎖は抽象化された一種の市場システムとして機能している。だが、「このシステムの貨幣となっている」のが「自己保存」である、というのはやや意味がとりにくい。保存されるべき自己とは厳密に交換不可能な唯一性のことだからだ。おそらく藤原はいのちという生気論的な観念を――あるいは「貨幣のフェティッシュの謎」（マルクス）を――回避するためにあえてこのように回りくどい表現を用いているはずである。

ところで河馬については、食物連鎖のような生物学の概念と異なる見方から分析することが可能である。それは河馬の排泄をエントロピーの増大とみなす物理学の立場である。物質やエネルギーが拡散する傾向がエントロピー（物理量の一種）の増大である。では、なぜエントロピーがいのちにかかわるのか。食物連鎖は生態系といわれる、より広範で錯綜したシステムに包含されている。生態系とは食物連鎖によってかたちづくられる生物群集と、それをとりまく大気・土壌・光・水などの無機的環境との相互関係をとらえたまとまりのことである。物理学者の勝木渥は生態系を「高エネルギー・低エントロピーの物質の利用の連鎖によって、時間的な同調をともなって、循環的に連なった、広汎な共生の体系」と定義している。「高エネルギー・低エントロピーの物質」とは炭水化物、たとえばデンプンである。コウジカビがデンプンを分解して糖に変え、さらに糖は酵母によってアルコールに変化し、さらに酢酸に変わる場合もある。「低エントロピーの高分子化合物は、何段階にもわたって微生物に利用されながら分解され、最後には高等植物が吸収できる（高エントロピーの）低分子化合物となり、高等植物によって吸収された後で、植物体内で、水と炭水化物の消費によって、その植物の特質を備えた高分子化合物に組み上げられる[9]」、これがエントロピーの観点から記述された分解者と生産者の連鎖である。さらにいのちは次のように記述される。「生命現象と組み合わさって生じているエントロピーの増大過程は、炭水化物の酸化にともなう発熱とその熱による水の加熱（生体の側からみれば、水による冷却）——窮極的には水の気化によるエントロピーの増大、および、生命現象の過程で生じた老廃物の水への溶解によるエントロピーの増大（水の汚れ）である[10]」。

生態系を維持するには、したがって太陽放射と水による地球の「水循環」が必須となる。低エントロピーの太陽光によって地表の水が高エントロピーの熱を吸収し、水蒸気として上空で放熱（赤外放射）することでエントロピーが地球外に排出され、水はふたたび雨や雪として地上に戻る。太陽を原資とするこのような地球全体の水のサイクルがあらゆる生物の低エントロピーへの移行（成長）、またその状態を一時的に維持する基盤となっている。地球の生命現象は、水循環によってたえず増大する汚れ（エントロピー）を宇宙空間に廃棄することを存立の基本条件にしているのだ。つまり地上で草を食み、水中で排便する河馬は水と太陽光（それによる植物の光合成）を基盤とする「高エネルギー・低エントロピーの物質の利用の連鎖」のメカニズムをもっとも端的に表現する生きものなのである。

河馬の糞便が「生命現象の過程で生じた老廃物の水への溶解によるエントロピーの増大」としての汚れを意味するとして、勝木は汚れには「汚物」と「汚染」の二種類があるという[11]。汚物とは生態系の物質循環における分解の途中段階であり、生態系の連鎖がさらに進めば資源として再生することも可能な物質である。最終的に二酸化炭素や熱として分解されてしまえばそれらは汚いと感じられない。それに対して汚染とは物質循環に組み込まれていなかった物質が大気や水や土壌の中に拡散したものである。その代表が放射性廃棄物であり、たとえばプルトニウム239の物理学的半減期は二万四〇〇〇年を超える。つまりプルトニウム239が汚染として存在する期間は、人類が生物として存続できる時間のスケールをはるかに超過している。だとすれば『河馬に嚙まれる』における糞便は汚物なのか、それとも汚染なのか？　すくなくとも語り手はそれが前者であることを希求しているようにみえる。「河馬に嚙まれる」という事態は生態系の物質循環の象徴としての河馬による青年への通過儀礼（イニシエーション）であり、青年自身が連合赤軍事件の加害者から「河馬の勇士」として再生する過程をあらわしているからである。河馬の食物連鎖として表現される経済学的循環の、その科学的な見せかけの底流には自然から人間に対するいのちの根源的な贈与とも呼ぶべき神話的な思考が込められている。しかし一九世紀なかばに明らかになった熱力学第二法則によればいのちの循環のような永久機関は理論的に存在しない。いのちが存続するかたわらで、不可逆的に回収不可能なエントロピーがかならず何処かの外部に廃棄されているはずである。

　イヴ＝アラン・ボワは『呪われた部分』などで展開された「蕩尽」のような概念は一見するとエントロピーと正反対の法則に依存しているように思えるが、にもかかわらず「エントロピー的な凍結（＝熱死）が［……］彼にとって本質的な操作の一つだった[12]」と主張している。彼、つまりバタイユは「過剰生産がもたらす不可避的で完璧にエントロピー的な帰結に思いを巡らせていた。

つまり、同化不可能な廃物が圧縮不可能な形で蓄積するという帰結である」[13]。バタイユは「腐敗や廃物、あらゆるものの腐敗に」魅了されており、「正統的な馬」での河馬への言及ももちろんこのエントロピー的な操作としてあった。大江が『河馬に噛まれる』の二年後に刊行することになる長篇の結末に「すべては循環する時のなかの、穏やかで真面目なゲームのようで［……］」と記した際に「河馬」はどれほど作家の念頭にあったのか？　ボワはデュビュッフェがジャン・ポーランに贈った絵画が自然に溶けはじめた、というエピソードをめぐって次のように記している、「カバは肥っている。それは汗をかく。それは溶けてしまう危険を孕んでいる――場合によっては絵画がそうであるように[14]」。

永田洋子／田中美津

田中美津は連合赤軍事件、とりわけ永田洋子に対する過剰なまでの――ただし肯定と否定とのあいだで揺れ動く相矛盾した評価を含む――思い入れを隠さなかった。田中は連合赤軍結成前にかれらを匿い、誘われて山岳ベースを訪問した体験があるだけでなく、「永田洋子はあたしだ」というエッセイを発表している。『いのちの女たちへ　とり乱しウーマン・リブ論』では、一九六九年の新左翼の凋落の中で「赤軍とリブは、落ちゆく夕日を浴びつつ胎まれ、生みだされた赤子としてあった[15]」と述べており、田中にとってリブと連合赤軍事件はこの時代を並走した、その核心にあるなにかを確実に共有していた出来事だったのである。事件発覚後に発表された「永田洋子はあたしだ」には次のような箇所がある。

権力との期日迫った対決に備えて、〈どこにもいない女〉として、すなわち完全に政治的で革命的であろうとはやまったが故に彼女はいまだ己れ以上に〈ここにいる女〉の影を色濃く宿す女たちを粛清せねばならなかったのだ。八ヵ月の身重を、アクセサリーに執着する女を殺ろさねばならなかったのだ。（『日本読書新聞』〈ドミュニケーション〉一九七二年六月一日）

このごく短い一節に田中美津のテキストに一貫してみられるコンセプトがはっきり露呈していると思う。つまり「〈どこにもいない女〉」である永田洋子と対立する「〈ここにいる女〉」として「総括」された女性たちの中から「八ヵ月の身重」と「アクセサリーに執着する女」を取り上げるその手つきに、である。前者は妊娠したまま「総括」された金子みちよ、後者は「女性」的な外見を批判され殺害された遠山美枝子をさすと思われるが、これは田中がつねに強調する主婦と娼婦、「母（子産み機械）と便所（性欲処理機）[16]」という家父長制のもとで女性に強いられてきた役割分担に対応している。永田自身は遠山について『十六の墓標』で次のように記している。「遠山さんは、その女性の自立において、まず人間らしさを求めて女性らしさを否定していく傾向に反対であった。遠山さんは、女性らしさを捨てて人間らしく活動しようとすることは、「中性の怪物」となって「人間味のない政治」を推し進めることにしかならないと理解していた[17]」。

永田の回顧は明らかに第二波フェミニズムを通過して以降に獲得された認識であり――『十六

の墓標』が刊行されたのは一九八三年である——事件当時はそのことを認識していなかった、という悔悟が述べられている。逆にいえば遠山自身は赤軍の——女性差別を体質化していた[18]——極左路線を支持しながら、同時にリブに近い思想的位置に立っていた、ということである。しかし田中は「アクセサリーに執着する女」という表現によって遠山に典型的なブルジョワ女性という性格を与え、さらに「母」としての金子と併置することでその娼婦性を抽出する（実際には遠山が嵌めていた指輪は母親からのプレゼントだった）。にもかかわらずリブは彼女たちを〈ここにいる女〉として肯定する、という鮮やかな弁証法的な戦略で——死者のイメージを都合よく捻じ曲げた印象操作ともいえる——田中はみずからの文体を見事にコントロールしているのだ。

このエッセイ全体のテーマである〈どこにもいない女〉と〈ここにいる女〉の対比はエリオットの「真の教会」と「河馬」の対比とまったく同一である。大江の「河馬の昇天」にあるように「岩を礎に立つて、いつかな動ぜぬ教会は、山岳ベースで建設された「左派赤軍」指導部のほかにはない[19]」のだとしたら、「河馬の勇士」もまた田中の構図の中では〈ここにいる女〉の側に立っているのは明瞭だろう。そう考えるならば「八ヵ月の身重」と「アクセサリーに執着する女」、そして「河馬の勇士」に共通する人間本性がいのちなのである。「女の総体性が、拡散に、つまり己れの中の自然に固執し続ける、そのような自己凝固を伴ってあるというあたしの「直感」は、もの想う子宮の復権とは、自然の生命力と己れをひとつにしていくこと、という「直感」と結びついてある。〈繰り返し〉、つまり人間との、自然との出会いの中で女は常に、新鮮であり、常に甦る可能性をもって存在しているのだ。その源泉は、女の子宮の自然、その恐怖、その生命力にある」[20]。

田中がここで寿いでいるのは母性ではなく再生、エントロピーの増大に逆らって物質の循環の中で繰り返し誕生する生命である。「真の教会」の支配下にあった母性からいのちそのものへの価値転換――リブが達成した「革命」の意義をこのように田中は捉えていたはずである。しかし「真の教会」と「河馬」のあいだで生きている「あたし」は絶えず「とり乱す」のだと。だが、田中が「真の教会」と共有していたものこそいのちという価値への信仰だったはずだ。その意味では田中は実のところいささかも「とり乱し」てなどいなかったし、一九七〇年代なかばに田中がリブの運動から実質的に離脱したのもこの無差異にかかわる。大塚英志が『「彼女たち」の連合赤軍』(一九九六年)で「早すぎたフェミニストとしての永田[21]」と述べているのも――リブとの同時代性という視点がいっさい欠落しているとはいえ――この無差異性をめぐってだといってよい。大塚がそこで主題化したのは森恒夫や永田洋子が先取りしていた一九八〇年代の「おたく」的感性という問題系だが、田中におけるいのちのホーリズムも当時の「ニューエイジ」思想に近接している。だが、もう一度繰り返すが、真に「とり乱す」べき差異はそこにはなく、エリオットの「河馬」とバタイユの「河馬」のあいだに存在するのだ。

存在の連鎖とエントロピー

妊娠中の金子みちよを「総括」し、殺害する過程で指導部が胎児を取り出そうと試みた――実際には帝王切開に及ぶ前に金子は死亡した——のは連合赤軍事件においてもっとも凄惨な出来事のひとつとして記憶されている。とりわけかれらの手記に残されている永田洋子——かつて看護婦として勤務した経験がある——の「湯たんぽを一〇個でも二〇個でも使って育てていこう」という異様なほど非科学的かつ能天気な発言は読者に強烈な印象を与えるが、大江健三郎も「生の連鎖に働く河馬」で登場人物のひとり——「河馬の勇士」の妻となる「ほそみ」——の手紙の記述としてその場面を「引用」している。そこには森恒夫が事件直後に獄中で記した「自己批判書」にもとづく「組織全体のものである子供を自己の所有物にしている事と我々はあく迄闘う」[22]という発言も含まれているのだが、森の「組織全体のものである子供」という表現は、永田の『十六の墓標』では「組織の子」、さらに一九九五年に刊行された坂口弘の『続　あさま山荘1972』では「人民の子供」となっている。[23] たんに妊婦による胎児の「私的な所有」を批判していたこの表現が次第に変化していくのは、かれらの中で時間の経過とともに胎児の存在が一種の抽象化を施されているからだろう。森の手記ではたんに胎児が連合赤軍の共同所有に属するという意味だったのが、坂口の手記では「人民」の未来をも含意する象徴性を帯びている。坂口自身、検事の取調で金子と胎児の遺体の写真を検事に見せられたことがそれまでの黙秘から一転して「自供」するきっかけとなったと記しているが、おそらく坂口にとって胎児の殺害は「革命」がすでに「人民」から離反していたことを証し立てていたのである。

　大塚英志は連合赤軍に「「母性」をめぐる複雑な「路線」の対立」があったとして、「金子にみちよによって代表される「母性的身体」を肯定していく立場」に対して「坂口弘や多くの男性兵士たちの、「家父長的ふるまい」によって女性を性的な側面を含め抑圧してしまう［……］凡庸な男たちの立場」があり、永田は後者に加担したと述べている。[24] 桐野夏生が連合赤軍事件を題材にした長篇小説『夜の谷を行く』（二〇一七年）には「本来は、女たちが子供を産んで、未来に繋げるための闘い、という崇高な理論だってあったのです。でもすべて、森が男の暴力革命に巻き込んでしまったんだと思っています」[25]という一節がみられるように、連合赤軍事件にフェミニズムの萌芽を読みこむ観点は今日では一定の説得力をもつように思える。しかし大塚のように事態を江藤淳の「〝母〟の崩壊」（『成熟と喪失』）という図式に当てはめて分析するのではなく、連合赤軍の総意として「共産主義化」という理念があり、胎児の私的所有の否定はその一環としてあったこと、そして母性なるものは「湯たんぽ」で物質的に代替可能である、とかれらがみなしていた点を考慮する必要がある。そしてそのことは共産主義が胎児のいのちを擁護することと理念的にまったく矛盾していない。いのちは物質循環（メタボリズム）において「再生産」される価値そのものである。

したがって連合赤軍が「ブルジョア的結婚」形態を容認している――森は永田とかれ自身との結婚を「共に闘う者同士が結婚するのが正しい」[26]という理由で永田に提案している――のも再生産という観点を踏まえる必要があるだろう。むしろ子どもの再生産に必要な制度として結婚は肯定されているのだ。逆にいえば異性愛以外のクィアな関係の可能性は連合赤軍にはなかった。また、リブの一部ではすでに同性愛者であるメンバーによる活動が始まっていたとはいえ、田中美津個人のテキストにおいても異性愛を称揚する気配が濃厚である。大江健三郎の『河馬に噛まれる』でも——収録された短篇のタイトルのひとつが「「河馬の勇士」と愛らしいラベオ」であることからも明らかなように——クィアな可能性は認められない。

この時点までのかれらが一様にいのちの再生産（繁殖）を目的とした生殖(セックス)を無自覚に肯定しているのに対して、現在では「統制的理想＝理念」としての「セックス」というジュディス・バトラーの批判的概念を応用することができるだろう。「「セックス」というカテゴリーは、そもそも最初から規範的なものだ。[……]「セックス」は、規範として機能するだけでなく、それが統御する身体を生産するような統制的実践の一部をなしている。つまり、その統制的力は、一種の生産的権力、それが管理する身体を生産するような——すなわち境界画定し、流通させ、差異化するような——権力であることが明らかになるのだ」[27]。つまり胎児＝子どもを再生産する異性愛カップルの「身体」を形成するのが生殖(セックス)なのである。バトラーによれば、セックスを「統制的理想＝理念」とする観念はアリストテレスにおける形相(フォーム)／質料(マター)の対立まで遡ることができる。「母基(マトリックス)とは、ある有機体や物体の発達を創始し特徴付ける創出的で形成的な原理である。それゆえ、アリストテレスにとって、「質料(マター)とは可能態[dyameos]であり、形相(フォーム)とは現実態である」。生殖＝再生産において、女性は質料を与え、男性は形相を与えると言われている」[28]。歴史貫通的な形相／質料あるいは「男性的なもの／女性的なもの」の二項対立に対して、バトラーはこの二項対立そのものを可能とする複数の「外部」を強調した。「セクシュアリティの統制が〈形相〉の分節化において作動している、ということが示唆するのは、性的差異が物質の定式化そのものの中で機能している、ということだ。しかしこの物質は、理性に対抗するものとしてのみ定義されているのではない物質である。［……］性的差異が機能するのもまた、書き込み空間の場を占めるものの定式化、その上演において、すなわち、この対立する位置の外部にそれを支える条件として留まらねばならないものとしてである。唯一の外部は存在しない。というのも、〈形相〉は数々の排除を要求するからだ。〈形相〉は、それが排除するものを通じて——すなわち動物でないこと、女性でないこと、奴隷でないこと——を通じて存在し、自己複製するのであり、その適切性は、所有権、国や人種の境界、男性主義、強制的異性愛を通じて獲得されるのである」[29]。

複数の「排除」を通じて形相／質料という二項対立そのものを支える「外部」——これまで述べてきた物質とエネルギーに共通する抽象的な物質量としての「エントロピー」概念はバトラーの「外部」に正確に対応している。わたしたちの不死ならざるいのち（種（エイドス））の自己保存は再生産（繁殖）によって維持されている。生殖（セックス）がその手段である。この「統制的理想＝理念」を連合赤軍も田中美津もなんの疑念もなく受け入れてしまっている。かれらに対して大江健三郎の小説が特異なのは、異性愛主義的な二項対立自体がエントロピーの増大によってつねに「溶けてしまう危険を孕んでいる」ことを示唆しているからである。それは「河馬の勇士」とほそみの子どもが「ダウン症候群」と診断されたことにも関係するが、より確かな意図をもって展開されているのが『懐かしい年への手紙』で「僕」の人生の——『神曲』における詩人ウェルギリウスのような——導き手となる「ギー兄さん」の人物形象においてである。

『懐かしい年への手紙』と『河馬に噛まれる』の構想において共有されている理念は明確である。一九六〇年の安保闘争で頭蓋に大怪我を負ったギー兄さんが「僕」の故郷でもある四国の山村を「根拠地」として、その地の農林・畜産事業の再興を進展させる。その成り行きが連合赤軍事件で精神的な傷を負った青年がアフリカに渡り「河馬の勇士」として再生する過程を思い起こさせる、というだけではない。『河馬に噛まれる』の河馬が食物連鎖の比喩だったのに対して、『懐かしい年への手紙』では物質循環がアリストテレスの『気象学』の四大要素や、それに大きな影響を受けたダンテ『神曲』の、より人文主義的な衣装をまとって登場する。ギー兄さんが「僕」に送った手紙の一節ではこのように記される。

> きみは書いていた。いったんシアトルに着陸するとほとんどガラ空きになるメキシコへの機上で、僕は輝やく雲と、はるか下方の、やはり雲のように輝やく凪いだ海とを眺め、この空中から海上、地上のありとあらゆる場所に、原子となったW先生の肉体が偏在すると考え、大きい解放感を味わったのです。／Kちゃんの科学的な用語の使い方にはね、自分として引っかかるところもあるけれど、この一節からは感銘を受けとめたよ。それはもう幾年前になるか、自分が森の鞘でオユーサンに講義に及んだことできみにからかわれた、アリストテレスの気象学(ミーティアロラジー)と結ぶんだが、きみは原子――正しくは分子というべきか――に還元されたきみの生涯の先生の肉体の遍在を意識したというのだが、もっと根底のところで、それはこういうことだっただろう。輝やく雲（それは水蒸気としてのAIRだね）、凪いだ海（つまりWATER）、地上（EARTH）、それに先生の肉体の火葬（FIREによる）への思い、その四大要素の循環が、つまり気象学(ミーティアロラジー)的な大きい循環が、きみの精神を源へみちびくようにして、昂揚をあたえたのじゃなかっただろ

うか？[30]

アリストテレスを典拠とするギー兄さんの思弁は、もちろん物質循環によって宇宙に放出されるエントロピーには及んでいない。背景にあるのは「存在の大いなる連鎖」という古典的な宇宙観である。ラヴジョイによればプラトンとアリストテレスに由来し、ネオプラトニズムの「流出理論」を枠組みとして組織化された「存在の連鎖」という観念は、「中世を通じ十八世紀後半に至るまで多くの哲学者、殆どの科学者そして実に殆どの教育のある人々が疑わずに受け入れることになった[31]」。ダンテもまたそれに依拠しており、『神曲』において「神の善の中に在る産出のこの必然性は無限の天使の創造に限られているのではない。それは不死のもののみならず死すべきものにも及ぶのであり、その源泉よりの存在の流出は、段階的に下降し可能性のすべての段階に及ぶ[32]」。

ギー兄さんはダンテにおける「ユリシーズの旅」の意義を説いたフレッチェーロの研究論文――「僕」が獄中にあるギー兄さんに送ったもの――を参照し、それが「古代において、循環する人間の時間の、空間的なアレゴリー」であり、ユリシーズの故郷への帰還が「魂が往古の精神性にかえる段階的な純化についての、プラトン主義的な・またグノーシス主義的なアレゴリーのために、すばらしい媒体の役割をはたした[33]」という箇所に傍線を引いている。それはギー兄さん自身の生が「存在の大いなる連鎖」の一部となることへの希求でもある。しかしかれはそうした思考と現実とのギャップを――通過儀礼（イニシエーション）としてではなく――恢復不可能な疵として受肉することになる。「獄中」というのは、ギー兄さんが「根拠地」での事業の協力者であり、かれにとってのベアトリーチェにも比すべき女性を強姦し殺害した——事件の当事者としてそう自白している——ために服役したからである。この時点で『河馬に噛まれる』で見出された希望はすでに暗転している。服役後、ギー兄さんは地元の「テン窪」を堰き止めて人造湖にし、「根拠地」を湖底に沈めようと画策するが、地元の反対派に妨害され、激しい風雨が襲った翌朝、遺体となって人造湖の「黒い水」に浮かんでいるのを発見される。

オセッチャンと妹が堰堤に上って行くと、小型バスの労務者たちに加え、早くも「在」と谷間からの弥次馬がそこにたたずんでいた。しかし黒い水に浮かんでいるギー兄さんの遺体を、堰堤の根方のわずかな地面まで引揚げてくれる者は誰ひとりいなかった。警察の到着を待つ、という口実をつけて。ギー兄さんは頭と両腕と下肢を黒い水のなかに突っこんで水底のものを探っている具合にうつ向けに浮かんでいた。直腸と大腸の一部および生殖器官と周りの淋巴腺まで取り去っているから、腰のあたりが軽くなって、そこを頂点に水に浮かぶようだったのね、とのちにオセッチャンはその場の情景を話した。[34]

「テン窪」から湧き出す「臭いの悪い水」は『同時代ゲーム』（一九七九年）でも言及されている土地の創生にかかわる神話的なモチーフだが、ここではギー兄さんが出獄後に患った悪性腫瘍の手術で取りつけた「人工肛門」——イエス・キリストがロンギヌスの槍で受けた脇腹の疵を想起すべきだろう——と結ばれている。ギー兄さんの屋敷に話し合いにきた若者らが「黒い水の臭いは、屋敷の座敷にもこもって息をするがくるしいくらいだ」と騒ぎ立てたのは「ギー兄さんは人工肛門で躰の脇に排泄物をおさめる袋をとりつけた状態であったから、その臭いが座敷にたちこめて」[35]いたのである。ギー兄さんの排泄物(エントロピー)は、ここでは物質循環で分解される「汚物」ではなく、もはや分解不可能な「汚染」として周囲に触知されている。ギー兄さん自身が「根拠地」の排泄物(エントロピー)なのである。「頭と両腕と下肢を黒い水のなかに突っこんで水底のものを探っている具合にうつ向けに浮かんでいた」というギー兄さんの遺体は、だからそれ自体がもはや形態(フォルム)を維持できずに溶けてしまった「河馬」を模倣している。

この世界の「漏洩しやすさ」について

田中美津はリブ草創期の画期となったマニュフェスト「便所からの解放」（一九七〇年、「ぐるーぷ・闘うおんな」名義）で「女の性が生理欲求を処理する〈便所〉ならば男の性は〈ウンコ〉だ」[36]と喝破している。「〈便所〉」とは一夫一婦制のもとで「子産み機械」である母とともに男性の性欲処理を果たす女性の役割分担をさす。もともと「公衆便所」という隠語が戦時下に慰安婦をさす蔑称として用いられ、新左翼の学生活動家の中でも「男とすぐ寝る女」をさす隠語として流通していた。「バリケードのなかで女は「かわいこちゃん」と「ゲバルト・ローザ」「救対の天使」と「公衆便所」に引き裂かれたが、これは戦前の日本共産党の「ハウスキーパー」問題以来、おなじみの構図である。さらにそれは、社会のなかの家婦と娼婦、主婦とホステスの対立を反映していた」(上野千鶴子)[37]。つまり〈便所〉として女性の性を卑しめることは男性自身の性を「〈ウンコ〉」として卑しめることにほかならない、というのがここでの田中の文意なのだが、新左翼への批判をも含意する〈ウンコ〉/〈便所〉という二項対立それ自体は形相/質料というアリストテレス的な構図に由来する。大江健三郎が『河馬に嚙まれる』で試みたのは、男性と女性、聖と穢をめぐるこうした二項対立の転倒であったといってよい。その際に大江が依拠したのはエリオットのグノーシス的な古典主義だったが、大江のすぐれて反・古典主義的でバロック的な小説家としての資質はやがてそれをバタイユ的な解体へと導いていった。連合赤軍事件以降、大江の作品において——方法論としての文化人類学や記号論を採用することで——反転されながらも維持されてきた形相/質料の二元論的な価値判断は『懐かしい年への手紙』に至って全面的な解体の契機を示すことになったのだ。そのときエントロピー=汚れは崩壊の徴候としてつねにいたるところに出現する。エントロピーの増大は脱形象化(アンフォルム)の原理的な図式である。エントロピーは可能態が現実態へと実現し、ふたたび解体されていくいのちの循環——シュレディンガーが「負のエントロピー」と呼んだ——に対していのちの循環そのものの陰画として、その円環の「外部」に排除されつづけ、必然的に増大していくのである。ティモシー・モートンはそれをこの世界の「漏洩しやすさ」と表現している。

人間の存在そのものにおける問題は、自分のぬめり(自分の糞便)をどうするかという問題であると、サルトルとラカンは宣言した。「ぬめぬめしたものは私自身である」。つまるところ、ぬめりとは聖なるもので、生そのものにある禁忌の実体ではないのか。これにふさわしい言葉がクリステヴァのいうおぞましいもの（abject）だが、それは私たちが主体と客体を維持するために捨てていく、世界の性質である。エコロジカルな政治は、汚染、瘴気、ねばねばしたものをどうするかと関連している。キラキラ輝いていてだらしなくて朽ちていくものである。ロッキーフラッツにある核爆弾製造工場からの核廃棄物は、ネヴァダ州の客体化された世界の被覆層の下部で掃き捨てられるべきなのか。そこは一九五〇年代には安全であると宣言されたが一九九〇年代には漏洩していることが発見された岩塩鉱床（地下核物質分離実験施設）である。原子炉から出る使用済核燃料棒の移送先であるニューメキシコ州のユッカマウンテン放射性廃棄物処分場はどうなのか。世界にある、漏洩しやすさをどうするのか。[38]

この世界において「漏洩しやすす」いもの——それはいうまでもなく「汚染」であり、むしろ定義からして漏洩する蓋然性をもつものである。大江が『懐かしい年への手紙』の続篇ともみなすべき『燃えあがる緑の木』（一九九五年）そして『宙返り』（一九九九年）で原子力発電所のテロを扱ったのは——一九八六年に起きたチェルノブイリ原子力発電所の事故の大きな影響とともに——「汚染」物質としての放射性廃棄物を主題化する内的な必然があったのだ。連合赤軍事件は大江の作品歴（キャリア）がそこに至る決定的な端緒だったのである。

今となればわたしたちは「湯たんぽを一〇個でも二〇個でも使って育てていこう」と言った永

田洋子の愚劣さを嘲笑するかもしれないが、しかしその言葉がSDGsと称して地球環境の悪化を阻止しようという——コロナ禍でのオリンピックすら阻止できないのに——掛け声よりも愚劣である、と判断する権利が果たしてあるのか？　湯たんぽもSDGsも人類の存続のために無力であるのに変わりはない。エントロピーの増大による破局は——それが一〇年後なのか数世紀後になるのはともかく——地球の文明化作用によって避けることのできない原理的な帰結なのである。

この当時、世界が破局に至るこうした理路を正しく認識していたのは、脳性マヒ者として「青い芝の会」で障害者運動の先頭に立っていた横田弘だけだったのかもしれない。横田によれば、人類以外の生きものに「成長した脳性マヒの存在を見ることはまず考えられない」以上、「脳性マヒ者の存在こそ人類文明の生み出した矛盾、そして人類文明が存在する限り永続する矛盾[39]」である。それは脳性マヒ者が食事から排泄まで生活の一切を「健全者」に委ねなければ生きていけないからだが、そのことは同時に「健全者」中心の世界から障害者をいつでも排除できることを意味している。「健全者」の善意はかれらの都合にあわせた障害者のイメージにもとづく気まぐれとエゴイズムにすぎない。ゆえに「われらは愛と正義を否定する」と横田は断言するのである。

横田は『古事記』巻頭にある「水蛭子（ひるこ）」抹殺の神話を脳性マヒ者の排除に引きつけて、「この「不条理」なものを水に流してしまうという発想は日本人独特の見方であるらしく、そこからでたものが「厠」という考えであり、今でもよくつかわれる「水に流す」という言葉に通じるらしい[40]」と記している。つまり田中美津が「非抑圧者（便所）から抑圧者（汚物）へ迫っていかないかぎり問題は鮮明にならない」[41]というのなら、横田はここで非抑圧者としての「汚物」そのものの眼差しでかれら「健全者」の「文明」を見返しているのだ。「「革命」の中で確立した「障害者」の位置付けがなされない限り、はっきり言うならば、寝たきりで食事から排泄まで人手を煩わさなければならない人たちを人類の中にどう位置づけるか、という作業がなされない限り、その「革命」はすでに堕落への道を歩み始めたと言っても過言ではないだろう」[42]。

いのちは構成的である。それは選択されるべきもの、あることにもないことにもできるなにものかであるにすぎない。そのことを横田が認識しえたのは、かれが脳性マヒ者として「人類文明」から否応なく排除されるエントロピーの側に立たされていたからである。脳性マヒ者は地球の文明化の進展において避けることのできないひとつの帰結である。しかし連合赤軍の「総括」が横田の思考の水準でいのちの不可侵に触れたことはけっしてなかった。

生は無底である。青い芝の会の「行動綱領」で脳性マヒ者は「現代社会にあって「本来あってはならない存在」とされつつある」と規定されている。だからこそ横田たちは「われらは強烈な自己主張を行なう」とあえて宣言しなくてはならなかったのだが、しかしそのような「強烈な自己主張」ですら「健全者」はいのちの不可侵としてしか理解しようとしないだろう。もちろん「健全者」であるわたしたちもまた、本来あってもなくてもかまわない存在であることに変わりはないはずである。

註

1 ジョルジュ・バタイユ「正統的な馬」、『ジョルジュ・バタイユ著作集　ドキュマン』片山正樹訳、二見書房、一九七四年、一一 - 一八頁。
2 イヴ=アラン・ボワ/ロザリンド・E・クラウス『アンフォルム——無形なものの事典』加治屋健司・近藤學・高桑和巳訳、月曜社、二〇一一年、七八頁。
3 ドゥニ・オリエ『ジョルジュ・バタイユの反建築——コンコルド広場占拠』岩野卓司・神田浩一・福島勲・丸山真幸・長井文・石川学・大西雅一郎訳、水声社、二〇一五年、二二六 - 二二七頁。
4 大江健三郎「河馬の昇天」(『河馬に嚙まれる』)、『大江健三郎全小説11』講談社、二〇一九年、六六頁。
5 バタイユ「唯物論」、前掲書、四七頁。
6 大江「河馬に嚙まれる」、前掲書、一九頁。
7 同書、二〇 - 二一頁。
8 藤原辰史『分解の哲学——腐敗と発酵をめぐる思考』青土社、二〇一九年、二三六頁。
9 勝木渥『物理学に基づく環境の基礎理論——冷却・循環・エントロピー』海鳴社、二〇〇六年、一二二—一二三頁。
10 同書、七六 - 七七頁。
11 同書、一二五頁。
12 イヴ=アラン・ボワ、前掲書、三三頁。
13 同書、二五四—二五五頁。
14 同書、二〇五頁。
15 田中美津『いのちの女たちへ——とり乱しウーマン・リブ論』河出文庫、一九九二年、二三〇頁。
16 同書、二五二頁。
17 永田洋子『十六の墓標(下)』彩流社、一九八三年、二五八頁。
18 植垣康博『兵士たちの連合赤軍(改訂増補版)』彩流社、二〇一四年、一二五頁。

19 大江、前掲書、六六頁。
20 田中、前掲書、二〇二頁。
21 大塚英志『「彼女たち」の連合赤軍——サブカルチャーと戦後民主主義』角川文庫、二〇〇一年、一六頁。
22 大江、前掲書、一八〇頁。
23 坂口弘『続 あさま山荘 1972』彩流社、一九九五年、一七一頁。
24 大塚、前掲書、八一-八二頁。
25 桐野夏生『夜の谷を行く』文春文庫、二〇二〇年、二九四頁。
26 永田、前掲書、三六九頁。
27 ジュディス・バトラー『問題＝物質(マター)となる身体——「セックス」の言説的境界について』佐藤嘉幸監訳、以文社、二〇二一年、四頁。
28 同書、四三頁。
29 同書、七二頁。
30 大江『懐かしい年への手紙』、前掲書、二二九頁。
31 アーサー・O・ラヴジョイ『存在の大いなる連鎖』内藤健二訳、ちくま学芸文庫、二〇一三年、九〇頁。
32 同書、一〇六頁。
33 大江、前掲書、四四八頁。
34 同書、四九三頁。
35 同書、四九八頁。
36『新編 日本のフェミニズム1 リブとフェミニズム』岩波書店、二〇〇九年、五九頁。
37 上野千鶴子「日本のリブ——その思想と背景」、同書、一二頁。
38 ティモシー・モートン『自然なきエコロジー——来たるべき環境哲学に向けて』篠原雅武訳、以文社、二〇一八年、三〇八-三〇九頁。
39 横田弘『増補新装版 障害者殺しの思想』現代書館、二〇一五年、一一四頁。

40 同書、九二頁。
41『リブとフェミニズム』前掲書、六九頁。
42 横田、前掲書、一二二頁。

記憶と歴史に挟撃される　一九七二年 死者は生者をとらえる[1]

長原 豊

彼が埋葬したのは死であり、死を埋葬することで彼は
生を——そして不死性を——救った。[2]

語れ、だが語り手を隠せ。
勝利せよ、だが勝者を隠せ。
死ね、だが死（者）は葬り去れ。[3]

I　テクストの不可能な外部

彼（ニーチェ）にとって「死んでいるということÊtre mort」とは「そこでの思惑（けいさん）の有無を問わず、もはや、いかなる恩恵や呪力もその名を担わされた者に帰することがなく、ただその名のみに帰る」ことだとしたデリダは、[4]そのうえで、題辞にある不死性の在処を「その名のみ *le nom*」に定めた。[5]「その名のみ」——まさにその謂いにおいて私は、連合赤軍という「その名」を、七〇年代以降の左派だけでなく社会全体の帰趨を決したその唯一無二性において、救う sauver。だがどうも、何かが違う——否、むしろ精確には、〈sauver〉という語の語彙的含みにおいて、その〝〈意義を〉保つ-〈欠を〉補う〟と（訳）すべきなのだろう。というのも、後に長い註で触れるようにまともな対質を欠いて否認あるいは忘却する者（「ちしきじん」）もいるのだろうが、〈連合赤軍という出来事〉は、真実と事実というそも不可能な分割を踏み拉（しだ）く、すでに何よりもまず否認し得ない編年（クロノス）における「それÇa」として、一九七二年にベッタリとこびり付いているからである。

とはいえ、そうする、あるいはそう言うことができるには、やや迂遠に見える序文擬きが必要である。テクストのいわば不可能な外部でありながら、それにしては些か長いという謗りをまぬかれないであろう、この序文擬きは、死-過去と生-現在をまさに死（者）の「名」において繋ぐ相続の営為（組織化）とそれを背後で強く圧（お）す死（者の意志-誓約）そのものに関わり、またであればこそこれまでも多くの思索者がさまざまに異なる視角から繰り返し言及してきた、或る一つのほぼ公理系（パラノイア）に近い有名な法諺に帰着する。

〈死者は生者をとらえる Le mort sasit le vif!〉が、それだ。

例えばマルクスは、歴史（ゲシヒテ）あるいは〈時間ゼロの遷移（形態）〉をつかさどる論理において、人びとが「ただ資本主義的生産の発展だけでなく、その欠如によっても苦しめられる」ことを挙げ、「生けるものだけでなく、死せしものによっても悩まされる」と、この法諺をほぼ間違いなく資本にとっての「受苦 Leiden」として引いてみせた。[6] だがそれをバディウは、資本あるいは〈事後性‐永遠の現在（いま）〉という理論の閉域（えんかん）において引き受け、死せる労働（資本）による生ける労働（人間）のアクチュアルな包摂とこの閉域（領主裁判権）を突破し、郊（城壁（ブルグ））の外（追放）banlieue で勃発する「騒乱」をまさに歴史の覚醒‐憶想 Réveil/Eingedenken という視点から、[7] しかもその内と外を画する皮膜（フィルム）がやおら捲れあがり褶曲しながら露出するエミネム〈8 Mile〉の層序（かいきゅう）画定線（市外局番313）のように、論じた。[8]「人間（ろうどうりょく）」の資本への商品としての包摂などという無為の疎外論的怨嗟、もう畢（おわ）りにしていい摩滅しきったこの悩める若者系の問題系（クリシェ）は、寺山修司の応接をめぐって以下で触れる、〈党〉は革命という大義‐「その名」の許（もと／ゆるし）で革命家（の身体）を自由に「措置」可能な人的資源として所有‐利用（さくしゅ）することを赦されるのかという、根源的にはブレヒトそしてサルトルが差し出した旧くからある問題閾と深く共振しながら、[9] 古来（ふるく）はマルクスの論敵プルードンが、「所有はいかに堕落するか」という彼の意そのものを象徴的に論ずる節で、マルクスが批判したようにほぼ土地所有（つまり窃盗あるいはルソー的には「これはオレのものだという」という素晴らしいまでに暴力的な始源における宣言（おもいつき））を念頭にこの法諺を引き、そのうえで「所有の厄災も、遺言者から相続人に受け継がれる」まさにそのことによって永続し、[10] この「矛盾」が翻って疎外としての「堕落」をもたらすと指弾した。[11]

この文書で私は、これまでにも起きては消えていったこうした厖大な包摂‐堕落と突破‐叛乱の葬列の一角にソッと加わる許しを、誰に向けてでもなく、乞う。[12] ソッと加わる――であればこそ、この法諺については、相続‐厄災の不可避性を示唆するだけに留まることは赦されない。その枢要はむしろ、相続が一瞬の切れ目もなく即座に遂行されねばならないだけでなく、結果において相続人と呼ばれることになる受遺者にはそうしたことのすべてを拒む遑と術がまったく与えられていないばかりか、選択的に、つまり好都合に、相続することも赦されていない、まさに文字通り善悪の彼方にある遺言‐受遺とそこでの残滓 Überreste の不等価交換において露出するデリダのいわゆる抗遺 restance あるいは不測の剰余が刻む時―秋(カイロス)という一点にこそ、[13] 潜んでいるからである。だからこそ私は、敢えてこの法諺を、そこで大きく口を開けて待ち受けるもっとも重大な陥穽‐罠を最後に触れるポオの言い草を以て戯れれば、百「八」も承知で、まずは端的に次のように言い換えてみる。

「粛清」は「銃撃戦」をとらえる、と。

〈主語に立つ「粛清」が「銃撃戦」を目的語に措いてとらえる〉という、避けることができなかったこの国家による構文が、均質の時(クロノス)という連続における序数性とこの序数性がその制度(じんい)性において擬似的に強いる――だがまさに〈擬似‐準(半) quasi-〉が原因を差し置いてみずからにおいて立ち上がる、いわゆる準‐原因の領野に帰属するとされねばならない――因果性なるものを事実において強いられるという月並みであるがゆえにもっとも危険な、また以下で読むようにその絡繰りに気づいて松田政男がハッと立ち止まり振り返った、この言い換えは、しかし、設題としての〈連合赤軍という出来事〉にとって予め端緒に措いて覚悟‐甘受されねばならない、陥穽でもある。あるいはむしろ、ヘーゲルを捩って「何事も初めが困難」と言ったマルクスが直面した難問と同様、[14]〈連合赤軍という出来事〉を論題とするからには避けて通れないこの（方法論的）陥穽こそ議論の核心そのものであり続けるほかなかった、とさえ言うべきだろう。したがって、端緒に措いて設定されたこの陥穽が終端でその回避に成功しえたか否か、あるいはむしろ高を括っていた端緒（‐作者＝主体）を終端がその目的においてシレッと出し抜き、切線的に円環から逸脱‐飛翔することを可能にするむしろ危険な「策」がまさに逆手にとって構想されえる（た）のか否かが、〈連合赤軍という出来事〉を論ずる場合とくに必要される。

　というのも、褶曲を以て襞をなす層序を一箇の塊として構成することになる、事後において両項へと順位（セカンシイエル）―筋書的に二分されたこの一箇の出来事の予めの剝離不可能性[15]――私が〈保つ〉を以て〈救う〉とした唯一無二の出来事であるこの「名」をいったいどうすれば単独する二層へ剝離できるというのか！[16]――を不可避のものとして受諾することを即座に強いられることこそ、党派と個人の別を問わず、あの時代でみずからを〈革命的〉と称していた人びとですら即座に「事件」と呼ぶことによって腰をやんわりと引くに到った「それ」を、にもかかわらず、あるいはだからこそ、同時代的あるいはむしろ同時刻的にどうにか腑に落とし、またそうすることでみずからの必死の解釈が少なくとも左派業界においては「真実」と認定されることを切望しながらも、しかし不可避に頓挫した書き手（エクリヴァン）たちが真向かった、抜き差しならない事態（ドツボ）だったからにほかならない。そしてそこには、党派（性）とそれまでのその行状に即して無慙なまでに散乱した悪罵・喧噪・沈黙・無言という「左派」戦線において揺動する相違を貫いて、[17]「それ」以降の左派だけでなくこの世代全般にさまざまに内訌し、反‐差別闘争、反‐公害闘争、反‐天皇制闘争、（リブから）フェミニズム（へ）、また住民運動（「地方」）といった、その後さまざまに名称や姿を変えいまなお存続している個別戦線への「下放」的散種はもとより、娑婆へ召還した者たちの七〇年代中葉を結節とする、例えばコンサル業などの第一次「起業」ブームから、八〇年代末のバブルに踊った者たちの群れの「お立ち台」での乱痴気などへ到る過程も含めて、大いなる離散を決定し、彼（か）の人（ニーチェ）が眺めたであろうそれとは大きく異なる、此（こ）の私たち〈嵌め殺し世代〉の薄層が眺めた引き裂かれの風景を決した、[18]六〇年代左派にとっては——だが正しくもニーチェ的に、死者の亡霊が再来する——「大いなる正午」があったのだ。

この「正午」は、例えば私の場合、当時占拠が続いていた三号館最上階の旧「学部長室」で、長い処分撤回闘争を闘い抜きながらもたぶん撤収をすでに決意していたであろうSさんから、あらゆる党派からの介入を防遏し、「みずから」を党派間闘争から保全するために「原則的」という語を冠した自治会の最後の委員長M君のもとで公表されるはずだった（が、結局は日の目を見ることのなかった）東大農学部自治会の解散についてのビラの文案制作を突然申し渡された無能の者として、[19]最終的に散種されてゆく東大全共闘のほぼ最後の部隊を、歴史的に由緒正しい知識人（リテラーティ）の名をもつRさんによるガリ切り・スッターの伝統的技術の講習会（駒場でだったのかもしれない）、西表山猫のもとへ去った優しい某さんによる玄人跣の番線縛りの技法伝承、Sさんと山本義隆さんが実験用ラットがちょろちょろする自治会室（旧「学部長室」）で雀卓を静かに囲む暮相の風景や根津駅に接近する車輛内を吊り広告を見ながらゆったりと歩く山本さんを乗せて減速する千代田線の風景、演習林や地震研とともに臨職闘争の現場だった応微研横の砂埃が舞い上がるグラウンドでサッカーに興ずる卒業間近の自治会執行部のメンバーやクラス活動家たちの異様に白っぽい明るさに溢れる風景も含めて、血塗れと緊張の深部とは裏腹に表向きには限りなく気怠く消耗・弛緩していた七〇年代中期の起点には、あの一九七二年への、それぞれの、そしてさまざまな、また不可逆的な、応援（と決断）そして出立があったのだ。

Ⅱ　記憶と歴史

ところで私は、みずからの必死の解釈が少なくとも左派業界においては「真実」と認定されることを切望しながらも、しかし不可避に頓挫した書き手（エクリヴァン）たち、とエラそうに書いた。だが以下で読み直（もど）すように、当時深刻な論攷を残した数少ないこうした書き手（エクリヴァン）たちですら、あるいは彼らがその深刻さにおいてもっとも敏感であったからこそなおさらに、新左翼諸党派の機関紙誌に垂れ流されたスタ官が書くどれもこれも無意味な雑文とはまったく異なる地平で、「事実」との一致を求めて「真実」という言葉を不毛にも無為に頻用するほかなかった。であればこそ私は、この文書で、まさに目の前で事後的かつ遡及的に刻々と書き戻（なお）される一九七一年冬の「事件」によって順次染め替えられていった一九七二年二月二八日という今風に言えば事象のいわば世間様

〈へ〉の――「汚れた手」のサルトルを逆立ちさせて言えば――抱き込み *récupération* に抗して、即座に書き付けられねばならなかった幾つかの文書とその近傍だけに、それらの公表・刊行の日時に煩瑣なまでにこだわりながら、言及（あるいはむしろ「引用」）する。だがそれは、一瞬の切れ目もないこの相続作業を深刻――場合によっては、みずからを鼓舞するための韜晦や晦渋、そして迂遠や只管の秘匿を以て――かつ即座に遂行することを受任（忍）したその時代の受遺者たちが、まさに論旨における堂々巡りにほかならないことを羞じずに繰り返せば、この相続をまさに拒むことができなかった、という一点に関わっているからにほかならない。またすでに彼らは、それがゆえに当然にも、書き遺された歴史（イストワール）とはつねにすでに国家の／という正史であるほかないことを予め知悉していたという意味で、後年喚び戻され「事実」と呼ばれることになる史実なるものの遺漏なき蒐集とその厳密な集計が「真実」をもってのみ構成される「総計としての歴史（イストワール）」を構成するなどといった幻想には、端っから囚われてはいなかったからである。だからこそ、冒頭に措かれるべき「総計」に関わる方法論が、まさに結論的に、要請されるのだ。

　とはいえ、ほぼ半世紀を経て連合赤軍「事件」と一括りにされるに到ったこの出来事は、国家の命名による「東北地方太平洋沖地震」が〈3・11〉と一括りにされることで人口に膾炙し、その結果、震災‐津波と原発「事件」との二層に剝離され、例えば日本学（ジャパノロジー）で福島が〈フクシマ〉や〈FUKUSHIMA〉へとカルスタ化される過程で後者が後景に隠蔽されるとともに引きずられて前者も忘却されたのと同様の位相で、すでにして歴史（イストワール）となっていることも慥かであり、それに相即して関連する文書や評論そして創作などが文字どおり枚挙に遑がないほどに累積しているにせよ[20]、しかし私は、そうした死屍累々とも言うべき文書（もんじょ）の館（やかた）の設立や、そこに恭しく収蔵された、事後的に、つまりそうした発話の現在＝歴史（イストワール）から然るべく語り戻（なお）された、物語（イストワール）や相続終了後の証言（収支決算書（バランスシート））なるものとは一切無縁に、かつ敢えて言えば、それらについての意図的な無知－無視において、しかも「歴史がいくら記憶とのつながりを断ち切ろうとしても無駄である。……境界が二つに分かつのは歴史と記憶ではない。境界が走るのは、「歴史－記憶」の点的に空隙を〔事後の詮索を期待して〕遺し断線するシステム les systèmes ponctuels と、決して永遠なるものには属さず、生成変化にこそ属する、多重線型的あるいは対角線的な編制（アジャンスモン）との、間〔厳密に幾何学的な意味での「線」としての際（ペニュルティエーム）〕である」というドゥルーズ＝ガタリの言明－歴史論を手繰り寄せ[21]、あの交差点を右折するときに左斜め上を見れば——たぶん！——「もっぷる」の窓が見えたはずの当時の新宿のシコシコ－模索舎界隈や立ち読みする客同士が奇妙に緊張し合う神保町と吉祥寺のウニタ、公安のS（スパイ）を自称する誇り高きフーテン店員がいた駒場東大前駅西口辺りにあった小さな左翼書店、杉並区天沼の短く狭い「ことぶき通り商店街」にあった雑貨屋横の小さな普通の本屋の店頭に雑誌『全貌』や『週刊明星』『週刊平凡』とともに平積みされた総会屋系の左翼総合誌がある風景、また当時は荻窪南口にもあったロフト——駆け出しの「サザンオールスターズ」や場慣れした「上田正樹とサウス・トゥ・サウス」などを呼んだ学祭で世話になり、その結果、自治会の某氏がその借金を被ったのだが——といったあの時代の風景とともに浮かび上がるヤサグレの私の「記憶」をその背景において論ずる対象を選択的に蘇らせることにする。なぜなら、以下で取り上げる、そのあるいはそこに「真実」を必死に求めた数少ない書き手（エクリヴァン）たちが当時その露出を急速に加速させていた正史（こっか）と切迫的に競合しながら公表した彼らの、だが結局は当然にも尽くすことができなかった、「真実」を当時の私が縋るように読んだことを、いまでも私は鮮明に想い起こすことができるからである。言い換えれば、私もまた、そうした彼らの「真実」を同時（刻的）に読むことで、彼らと同様程度に、否、もちろんそれ以上に無為に、そのあるいはそこに自分の「真実」——あるいは「事実」以上の「真実」——を求めたからにほかならず、私もまた、バディウに倣って、私の「記憶」において「歴史」を「その名」の許（もと／ゆるし）でのみ覚醒させ、憶想たらしめようとするからである。

だが、記憶という個別性‐恣意性において、このように私が歴史（イストワール）に石化した彼（か）の出来事へ遡及するに当たっては、であればこそ、その命名も含めて「粛清」と「銃撃戦」という国家の正史が演出する二分割を劇的（テアトリカル）に遂行する事後による「境界」などではなく、その事前においてつね「両」者を／として「分かつ」主体に生成変化する／していた動くものとしての「境界‐際（フロンティエール）」を歴史（ゲシヒテ）において遡及的に確定する方法についての私なりの提示が求められることも確かだろう。[22]そうした要請に取り敢えず応えるために私は、以下で集中的に読む受遺者の一人にほかならない松田政男の痛苦とともに逡巡し、右顧左眄し、そして頓挫する論攷にポオの「構成の原理」を身に纏って再‐出現した長詩〈大鴉〉にも比すべき歴史家、あの『奇妙な敗北』を遺したマルク・ブロックに[23]、まず凭れ懸かることにする。

フランス農村史不朽の名作の著者ブロックは、歴史家の心得を次のように説いた。

遡及的方法が促えたと称しているもの ce qu'elle [la méthode régressive] prétend saisir とはフィルムの最後の一コマであり、次いでそれを、そこに空隙が少なくないことを諦めとともに承知したうえで、とはいえその変化をあくまで尊重すると腹を決めて、逆に巻き取ろうと努めるのである。[24]

さらに彼は、その生産的読解に当たってほぼベルクソンあるいはベルクソンを読むドゥルーズを読むに等しい視点が要請されるその名著『歴史のための弁明』で、次のようにも書いた。

歴史家が注視する映画では最後のフィルム－薄皮 pellicule だけが手つかずのまま〔完全〕に存在している。それ以外のフィルム―薄皮の切れ切れの描線 les traits brisés を再構成するには、まずは撮影とは逆の順序でリールを回さねばならない。〔つまり、人間を時のなかで観測する学問－技法 science はただ一つだが、〔それには〕死者の研究を生者の研究と絶えず結びつける必要があるのである〕[25]。

いわゆる「マルクス」をいまだその指針に近代日本経済史の研究を生業とすると称してきた者としてなお、このブロックの視点を全面的に受け容れる私は、以下で出来事との松田の瞬発的衝突を読み直すに当たって、ブロックの終端－現在を指すいわゆる「今日の風景 le paysage d'aujourd'hui」を、一方における歴史において二一世紀冒頭で固定した坪内祐三の「一九七二年」についてのクッキリとした記述‐遡及と、他方におけるまさに物理的にも完全に消失した梅内恒夫の「共産主義者同盟赤軍派より日帝打倒を志すすべての人々へ」なる、その内容ではなく、まさにその機制‐時の刻み（タイミング）において、媒介する「語り手‐嘘吐きstoryteller」として対角的に消失した――梅内の回状は、その後の成り行きからすれば、彼の永遠の「召還」宣言にほかならないが――宣言に促迫され、[26]一九七二年にトリックスターという役割期待‐大役を担った竹中労と平岡正明が何の変哲もない「事実」の配列的記述において何気なく「それ」以降を予示した一行を、[27]以下の対照において列べる。

すなわち、前者を「最後の一コマ」あるいは「手つかずのままの〈完全〉な」かたちで存在する「フィルムの最後」として、後者をいくつもの「空隙」の「事実」なるものによる充塡の根源的不可能性を「諦めとともに承知したうえで」遡行的に「再構成」された「フィルムの切れ切れの描線」の「フィルムの最後」をその端緒において準備した同（当該）時代における予示として、である。そしてこの対照は、「手つかずのままの〈完全〉な」かたちで存在する「フィルムの最後」が今後いかに出し抜かれるべく描写されるのかに、そしてその成否を左右する「残滓」自体に、大きく関わっている。

Ⅲ　一九七二年

夭折した多才で多感な「都会っ子」坪内は、[28]二一世紀冒頭という彼の、「今日の風景」から背進して、まるで講義用手控えをそのまま板書したかのようなポキポキした文体で綴られた命題——かれはそれを「単なる直感」とも呼んだ——を遺している。

ここで確認しておきたいのは、高度成長期は、その、時代が新しくなって行く側面ばかりが強調されがちであるけれど、一方で、古い物や旧来の感受性も確かに強く残っていたことだ。その葛藤が時代変化の激しさを形造る。

その激しさがピークとなるのは一九六八年。

そして変化が完了するのが、実は一九七二年である……。高度成長期の大きな文化変動は一九六四年に始まり、一九六八年をピークに、一九七二年に完了すると。さらに言えば、一九七二年こそは、ひとつの時代の「はじまりのおわり」であり、「おわりのはじまり」でもあるのだ[29]。

一九六四年に開催された東京オリンピックの翌年に控えていた日韓基本条約締結への対応などを戦略的契機に据えた中核派・社学同マル戦派・社青同解放派の三派による都学連が再建されたことに象徴される、六〇年安保闘争後における学生運動の時期区分にもほぼ重なるだけでなく、日本資本主義が明治期以降長きにわたって活用してきた労働力の供給源（したがって土地の所有形態）の変容[30]と産業構造における二重構造の解体の開始（いわゆる「転換点[31]」）にもピッタリ照応する、この六〇年代把握について坪内は、「一九七二年以前に生まれた人なら、たぶん、歴史意識を共有出来る気がする。だが、それより後に生まれた人たちとは、歴史に対する断絶がある」とキッパリ断言している。[32]

だが、こうした実線でクッリキと描かれる時期区分との対照において立ち寄られねばならないもう一つの、ある意味ではより重要な、それは、さきに指摘したように、「フィルムの切れ切れの描線」の遡及的(パレルゴン)起点(エルゴン)で、「今日の風景－情況」から遡及するに当たっては破線をもって憶想するほかない、次の一行である。

連合赤軍事件、テルアビブ事件、梅内恒夫論文の登場などを経て、太田〈竜〉は四トロにもどった。[33]

この何の変哲もない年表のような一行は、それがゆえにきっぱりと、一九七二年の時代画期性を予示している。もちろんこれは、東京オリンピック・「転換期」を前後に使い捨ての「窮民」がマルクスのいわゆる不可欠な「空費」としてあからさまに不可視とされ、[34]そこで「廃兵院」「産業予備軍の死重」としての滞留を依然として強いられながらも、[35]しかし東西において繰り返されてきた苛烈な闘争や継続的「暴動」を経て、[36]街として徐々に清潔(ジェントリフィケーション)になり、じつはつねにすでにそうであった例のギグワークを担うそうした雑業層がむしろ日本中に広がっていった、非正規雇傭という資本にとっては好都合な正規の形態の時代のはじまりで「窮民革命」論の儚い旗手となった竹中労と平岡正明による、およそ現代(いま)の人にとっては珍紛漢紛な、文字列だろうが、むろんことは太田竜なる異列の個性と彼のその後の政治的帰趨を云々しているわけではない。

問題は、この一行が「連合赤軍事件、テルアビブ事件、梅内恒夫論文」に込められた出来事の歴史的な意味（セカーンス）――「アジア」と「反日」、あるいは左派にとってすらその均質性なるものにおいて「日本」と呼ばれることに無頓着で疑義が持たれることがなかったこの地政空間の深部に歴史的に深く内捻転され（てい）た不均質の「辺境」、人びとの生業として、雑業という、いわゆる「真っ当な内部」に不可欠な再生産され続ける外部へとファウストのように段々（だんだん）と降りてゆく復路――を端的に表示し、また註記した対談の日付からも分かるように、「それ」以降における事態の推移の一極を精確に、しかも一挙に把握‐予知する、途轍もない一行、下手な譬えを意図的に重ねれば、一九八五年に書かれた『河馬に嚙まれる』が一九六七年にすでに書かれていた『万延元年のフットボール』を出来事に迫真するその描写において決して凌駕することがないことに示されるこの六〇年代作家の七〇年代以降における端的な衰微をも逆照する、またさらにその結末をすべて知識（終端）として獲得していた坪内の遡及的俯瞰をも予言的に超出する、一行だった点にこそある。

以下で私は、一方における坪内と他方における竹中・平岡によるこれら二つのいわば結論的断片が非同時代的に相互照射する同時代的なこの〈過去〉と〈現在〉の併存を長いテクストの不可能な外部の末尾に予めこのように据えて、一九七二年における「真実」を探そうとして出来事に衝突し（ては頓挫し）た書き手（エクリヴァン）とその近傍を「引用集」のように再現し、いわば「あらゆる「非同時代的」な在庫品 alle » ungleichzeitigen « Bestände に奨励金をかけ」ようと試みる。[37] またたからこそ、まず想い起こされるべきは、これらの書き手（エクリヴァン）が〝位置について！〟と命ぜられ、屈んでいた当時のいまでも思い出す世間様の空気あるいは臭いである。つまり、当時の書き手（エクリヴァン）たちのそれぞれの格闘は、諸党派の機関紙誌に掲載された無意味に勇ましい「記事」や当時の数多くのメディアでのその場限りのご都合的な見解の狂騒的噴出とは無縁に、[38] 左派における悪罵・喧噪・沈黙・無言というそれぞれの応援を貫串的に制圧していた不気味な緘黙に響くいわば執拗低音（バッソ・オスティナート）のもとで始められたことを想起することである。

Ⅳ　緘黙

そうした緘黙の深部から耳鳴りがシーンと響く感じがしていた当時の情況で、[39] その「特集」を「遊撃戦争時代の開幕と連合赤軍」と銘打ちはしたが、しかし塩見孝也の「緊急追録・特集・遊撃戦争時代の開幕と連合赤軍　所信表明」といういま読んでも頭が痛くなる無意味な文字列を掲載するほかなかった『査証』第二号の「編集後記」は、しかし、じつはそれよりも遙かに重要な空気あるいは臭いを伝えていた。

一九七二年一月発行とされたこの雑誌は、しかし一九七二年二月中旬現在、いまだ陽の目を見ていない[40]

この一文は長い歴史をもつ「過激派」弾圧の新たな局面を報告しているだけではない。「過激派」自身がその内面の危機において直視していたそれ以上にシンドイ情況がここには思わず吐露されている。そしてそのことは当時の読者の誰もが感じていたことだった。

だがそうしたどんよりとした息苦しさを切り裂いたのが、松田政男の「兵士のカテキズム」と題された論攷だった。[41] 私が当時息せき切って読み、また五〇年の時を隔ててふたたび読み直そうとするこの論攷は、「〝あさま山荘〟攻防戦は、国家権力の手によって演出された、完ペキなフィクションで」であり「サキグンヤサバカランド、サバカリーシャイッターヤマトゥヤンド（赤軍は裁かれない、裁かれるべきは貴様ら日本国家である！）」などと他者の言語を横取りして咆える竹中労のそのじつ自身の生真面目な困惑を直隠す呟きあるいは走り書きである「セキグンヤサバカランド」のIとほぼ何もない同名文書のIIとともに、[42] 掲載された。この松田の孤高の格闘を私は、私が「無言」派と呼ぶ人びとが打って出たその後の闘争の「（東）アジア」と「反日」という――およそポスコロ的な「アジア」理解とは隔絶した、「日本」なるものの深部に降りてゆく――新たな闘争文体から言えば皮肉なことだが、[43]「アジア的なこと」を題目の核心に据えて脇道に這入る吉本隆明（一九七二年七月）、見事な見得を切ってみせた寺山修司（一九七二年五月）とともに、読み直す。

V 「アジア的」なもの、「革命の資本」

「アジア的」――当時は何かがあるとほぼ必ず発言していた吉本の論法は、〈連合赤軍という出来事〉それ自体については迂回しながら、しかし如何にも――なぜか後になって必ず辻褄を合わせて貰える――幸せな彼らしく、またその後のポストコロニアリズム論の安手の亜種である「珍説」[44]の局部的(ローカル)な跋扈を招く悪しき副産物を意図せず残したとはいえ、結果的には「それ」以降の左派の無力化を〈連合赤軍という出来事〉についてのみずからの理解において予期しえていたのではないかなどと今になっては思うが、しかし、出来事としての連合赤軍にのみ関わってやや厳しく言えば、何よりもそれはまず、ほぼ「粛清」だけにその焦点を絞り、「銃撃戦」には迂遠に触れることしかなかった、さまざまな時代を生き延びた書き手(エクリヴァン)としての彼の「危機管理」能力あるいは直感に深く関わっているようにも思われる。そしてここにこそ、「粛清」を主語において「銃撃戦」を語るほかない（あるいは、語らない）という対象への限られた隘路が甘受されねばならない、吉本といえどもまぬかれえなかった、この出来事固有の陥穽‐罠があった。

　一九七二年七月六日に、今やバス停でのみその名を残す横浜の勤労会館で開催されたルビコン書房主催の講演会で吉本は[45]、まず第一に、マルクス主義的な軍事技術論の先駆者であった小山弘健や神山茂夫派の浅田光輝などの吉本にとっては仇敵であった「戦中知識人」、またベ平連‐共労党のいいだももや山崎カヲルなどの新旧の「構造改革派のイデオローグ」による生産力理論にもとづく「軍事」的視点を唯銃主義＝「銃撃戦」への濫喩的批判として用い、吉本自身が斯く措いた窓口から彼らを「不愉快」の一言で片付け（二〜五頁）、返す刀で因縁浅からぬ太田竜や平岡正明を「追い詰められて居直っている」連中と腐し、行きがけの駄賃とばかりに宮本忠雄・加賀乙彦らを「変な精神病理学者」として血祭りにあげた後（六〜七頁）、連合赤軍のいわゆる「服務規律」を指すのであろう「内部規律」論に論点を絞って、一挙にほぼ「粛清」問題だけを論ずるという論法を採った[46]。つまり吉本は、「粛清」と「銃撃戦」を、後者への批判が「戦中知識人」批判においてすでに終了しているものとして、分離し、〈連合赤軍という出来事〉から「粛清」だけを抽出したのである。

　次いで吉本は、こうしたいわば手練れとも言うべき業（かたり）で、まず「内部規律」論の枢要を戦中派の自分も敗「戦後すぐ考えた」ことだとし、そのうえで「大変解る……大変良く感性的に解る……非常に同感する」などといわば浪花節的に共鳴してみせたが、しかし、これまた浪花節的に、であればこそ、その含意を「はっきりさせておかねばいけない」とした。このように一連の問題限定を終えた吉本は、さらにみずからの議論――その根底にはじつは彼の戦争責任論（転向論）と相同する行論が動いているのだが[47]――を以下のように立ち上げた。

　「死をも要求される敵との闘いというものを遂行するためには、メンバーに対しても死をも場合によっては招くかもしれない規律が厳守されねばならない」ということそれ自体が、「日本帝国主義軍隊を支えた論理」であり、「死を孕むアジア的論理構造の弱さ」である、と。つまり彼は、さきの構文において主語に措かれて鎮座する「粛清」を「アジア的社会における社会の残滓……アジア的感性とか、アジア的な観念共同性」に、つまり「感性」「観念」というイデオロギーにおけるいわゆる「アジア的ということ」の一点に、また「残滓」というその言葉にその含意が強く暗示されているあり得べき「近代」からその乖離が測られる後発性に、したがって誤解を恐れず言えば近代主義的に、論点を集約してしまう（一一～一二頁、一六頁および二〇頁）[48]。坊主懺悔の「戦中知識人」や「解放軍」規定において断続説を採る戦後講座派といまだ残遺するがゆえに滅消されねばならないとされる特殊性といった議論と大差ない、あるいはさらに遡って言えば、一九二八年にモスクワで開催された中国共産党第六回大会以降ほぼ禁句となっている生産様式論における「アジア的」に根拠を据えた革命戦略論を無批判に逆立ちさせたこうした吉本の論法は[49]、国家(ソヴィエト)と党(スターリン)をクロスさせて理解すれば、吉本が軽く去(い)なしたつもりの竹中の「殺す側にだけにではなく、殺される側にも「党」＝革命戦士の幻想は骨がらみだった」などといった「「党」＝革命戦士の幻想」を軽く糾弾する浪花節的発言と、いわば搦め手から、交錯(マッチ)していると言うほかない。

実際、出来事から十数年が経った一九八九年に竹中は、「〃連赤〃〔の〕徹底的〔な〕総括」を口にしはしたが、その焦点は「なんか心情的な人殺し云々ということの総括よりね、彼らの地下活動のなんともいえないおそまつさ……兵士の募集のやり方」などといったようにいわばその一本釣り的な組織論への批判（と、後に松田に関しても註記する、曖昧なスパイ問題）に終始し、さらには当時流行った秋瑾の辞世の句とされる「秋風秋雨人愁殺」さえ想起させる「人を殺した人のまごころ」などを持ち出しては[50]、「彼ら」が――彼(か)の「死者」を指すのか――「「党」の鉄鎖を解脱」し、その死を以て「星々となって飛散する〔義〕を獲得した」などといった大陸浪人風(ロマンチック)に逃げを打つ竹中を「追い詰める」ことすらできない「アジア的なこと」論を、窮民革命を呼号して「ヤギのにおいがする」辺境の彼方に垣間見える夢の「アジア」を呼号していた当時の竹中・平岡、そしてまた私のいわゆる「無言」派に、まさに皮肉なことに意図せず、提示したにすぎない。[51] 吉本は、こうすることで実質的には、〈連合赤軍という出来事〉を無限遠点の彼方に据えられた普遍によって一望監視的（パノプティック）に眼差される「アジア」、さらには「日本」の特殊性として貫歴史的に安置することで、ほかならぬ〈連合赤軍という出来事〉との同時代的な直接的対峙をまさに回避し遠ざけたに等しく、これはまた吉本自身にも反する立場であったはずだ、と言うほかない。[52]

「革命の資本」――だが他方以下で読むように、吉本よりも早く、革命なるものの冷徹な本質を鋭く突く洞察を披露した寺山修司は、[53] 吉本とは異なり「粛清」と「銃撃戦」を相続において身勝手な選択を原則的に拒否された一塊のものとして真っ向から引き受け、松田、またさきのブロックと、微妙にも二重（ふたえ）に交叉しながら――発刊日時的には、寺山が松田の文章をすでに読んでいた可能性がないわけではないが――、まずは次のように論を開いている。そしてこの発言は、まだブロックを読んでいなかった当時の私にとっては、圧倒的に衝撃的な歴史叙述論でもあった。

　歴史について語るとき、事実などは、どうでもよい。問題は伝承するときに守られる真実の内容である。虚構であるゆえに他国であり、手で触ることのできない幻影である「過去」を、しばしば国家権力が作りかえて伝承してきたように、ぼくたちもまた、時の回路の中で望み通りの真実として再創造してゆく構想力が必要なのである（一七頁：強調長原）。

まさに「真理とは真理を語ることだ」とするフーコーの論法にも似た「神々の諍い」と価値自由(ヴェルトフラウハイト)を逆手にとる書き手(エクリヴァン)の読解におけるこうした論法の表明には、[54]以下の意味で、松田の論攷を読むに当たって必要なほぼすべてのキー・ワードが出揃っている。つまり、出来事として連合赤軍を同時刻的に語るに当たって、「事実」ではなく「伝承」されるべき「真実の内容」を国家の正史に抗し「時の回路の中で望み通りの真実として再創造してゆく構想力」が要請されることを同時代の左派に迫るこの寺山は、この出来事を——たんに納得する（腑に落とす）だけでなく——何としても自分に言い聞かせる説得（ふたたび、腑に落とす）の作業における「構想力」の必要性を主張する点において、当時の私には圧倒的だった。

だが寺山は、そこに留まってはいなかった。危機は思想–言葉を瞬発的に指嗾するものとみえる。というのも、一九四八年初演の「汚れた手」をすでに知っていたであろう劇作家寺山はさらに、これもすでに有名だったドストエフスキーの『悪霊』のモデルとなったとされるネチャーエフがバクーニンとともに作成したとされてきた「革命家の教理問答(カテキズム)」にも一挙に踏み込み、[55]それが「森恒夫らの連合赤軍の粛清をはるかに予見して」いるとしたうえで、「にんげんは「血のつまったただの袋」にすぎず、それに人格を与えているのは、思想である」と、組織論あるいは〈党〉論としてのいわゆる「共産主義化」論をおそらくは批判的に指差したが、であればこそ同時に、きわめて冷酷なまでに中立的かつ事実確認的に、「そこでは人間観さえも」革命家として

「一般化されざるを得」ず、これを「拒むもの」は「孤立した個人の内部」という「名の故郷」への「退行を余儀なくさせられる」という意味で、前衛党（あるいは「結社」）の一員としては頽落すると冷徹に断罪する（以上一五頁）[56]。ここでは、「その名」をも含めて個といういかなる「故郷」も、またそれが必ず生産してしまう寺山のいわゆる「剰余」も、さらには革命の、竹中のいわゆる、「（大）義」の所有すらも、許されることのない――ネチャーエフの「教理問答」の第一項「自己自身への革命家の態度」の冒頭で示された――予め「死を宣告された人間 doomed man」としての革命家が想定されている[57]。そしてここでの看過しえないもっとも重要な論点は、「革命の資本として無名化された、血のつまったただの袋」にすぎないとされた革命家にとっては、「銃撃戦」と「リンチ事件」の分離は、「革命家」という「その名」において、まったく無意味だと喝破する、寺山の革命家理解である（一七頁：強調長原および一八頁）[58]。とはいえそれは、以下の意味のおいてでなければならない。

つまり、この「革命の〔不変〕資本」であり、またおそらくは固定資本でもある〈党〉に、形式的にも実質的にも、いわば革命の可変資本（そして流動資本）として――だが契約ではなく、まさに「誓約」において[59]――包摂され、したがって〈党〉と資本として一体化することで「無名化された、血のつまったただの袋〔生きた労働〕」という形式において「一般〔匿名〕化」される革命家、あるいはブレヒトの「処置」を想起して言い換えれば、「隠された（仮面を被った）verbergen/masquer」身体という規定を受け容れた革命家の有り様は、「職業革命家」と実質的にはその誓約者集団とされた〈党〉とは何かという問いを圧倒的に問うものであり、それはまた翻って、「それ」以降さらに激化することになった新左翼諸派間のいわゆる「内ゲバ」においても、また「反日」路線において内なる「アジア」に船出した人びとの組織論－運動論にとっても、大きな転換を強いる異質の風景を提示するものだった。またこうした冷徹な革命理解を採ればこそ、「成功しない革命などは、いつの時代だって時代錯誤に決まっているし、（逆にいえば）時代錯誤でない革命運動などがあるわけがない」といったように、ブロックの歴史記述論にも通ずる時代錯誤(アナ・クロニスム)を正しく利用し、編年(クロニスム)を巻き戻し・復元する（ana-(アナ)）ことを以て革命 *revolute* であると断言した寺山は、当然にも「連合赤軍の事件も、森恒夫、永田洋子の意図した革命も、失敗してしまえば「ただの思い出」」としてのブレヒトのいわゆる「葬り去る（ピン止めされる）ver-stecken」べき出来事であって（二〇頁）、その意味でこそ「その名」のみを救うという、これまで誰も到達しなかった乾いた革命史観をまさに即座に展開することになる。

　この寺山の問いに、しかし松田はどのように応接しようとしたのか。ことは舞台から説明的な書割もト書きもない現実に戻らねばならない。

VI　時の刻み(カイロス)－秋との衝突

「一億人」の「われわれ」——傍点を付されたこの「われわれ」こそ、松田の第一の通過点である。この第一の通過点は、しかしまた、次のきわめて印象的な一文に示される「連合赤軍をめぐる一連の事態」との生身の衝突を開始する最初の足場に支えられたある固有の論点——

「教理（カテキズム）」――をその機制（モメント）として顚倒的に奪還されねばならない、到達すべき最後の端緒でもあった。彼はその冒頭で書いている。

> 私がまず真先に想起したのは、ポオが、その長詩『大鴉』をつくるにあたって、最後の一行からまず始めたという故事であった。この百八行に及ぶ長詩の最後の一行とは、それまでもしばしば大鴉によってリフレインされてきたところのNever more〔「二度とない」あるいは「最早ない」〕である。大鴉「悲しき、永久に消えざる思い出」をこめてNever moreと呟く。ポオによれば、長詩『大鴉』は、この最後の一行が確定することによって、「数学の問題の正確さと厳密な因果関係をもって、一歩一歩、その関係に向かって進行していった[60]」そうである。つまり、終末から発端へ向って、あたかも逆回転するスローモーション・フィルムを見るかのように、ポオは、自身の「詩作の哲理」をば、あますところなく、展開し切ったと言うのだ（二三頁）。

いかなる「空隙」もなく、「切れ切れの描線」どころか「数学問題の精緻さと厳密な因果関係」というクッキリとした実線で長詩《大鴉》へ再帰的に肉薄するポオとの大いなる違いを暫く――なぜなら最後に結論的に触れるように、ポオ自身、この「厳密な因果関係」の失敗‐剰余〈残滓〉の存在を然り気なく告白するからだが――措けば[61]、さきに引用したブロックの歴史方法論を〈連合赤軍という出来事〉という一事（できごと）の「構成原理」において想起させるこの一文を冒頭に据えた松田は、そのうえで、「あたかも、「詩は、すべての芸術作品が始まるべき終わりから、始まる」[62]というポオの詩論とまさにアナロジカルに、まず、二月二八日のあさま山荘銃撃戦というラストシーンが冒頭に据えられてしまったことによって生起させられつつある諸結果」について「若干の評注」を「試みたいだけ」だと、その目的を予め限定してみせた（二三頁：強調原文）。そしてここから、「据えられてしまった」に傍点を振ってまでその受動性を強調し悔やんだ松田にとっての、あるべき「真実」への、苦心の理路が始まる。

だがそれを辿る前に、松田が引いたポオの一文をその論旨をより正確に想起させるために最後まで引用せねばならない。ポオは「この詩はおわりから始まったと言っていい（すべての芸術作品はここから始まる）。なぜなら、予めここまで考察を進めてから初めてペンを執って、次の連を構成したのだから」と、その「構成」の作者による操作性を誇示しているからだ。しかし松田は、一方で「数学問題の精緻さと厳密な因果関係をもって、一歩一歩、その関係に向かって進行していった」を引用しながら、他方で「なぜなら」以降を引用しなかった、あるいは出来なかった。とすれば、そこに隠された松田の意図（否定しえない「事実」を踏んだ彼の「真実」へのあるべき理路）とは何か。問いを言い換えれば、長詩《大鴉》あるいは〈連合赤軍という出来事〉をポオのいわゆる「数学問題の精緻さと厳密な因果関係」をもって「予め」構成したと称する作者とは、いったい誰であり、松田にとっては本来誰であるべきだったのか。

実況中継された「銃撃戦」という「空前の視聴率」（九八・二％）を達成したこの「それ自身で一箇の巨大なメロドラマ」では、おそらくは「一億人」の「われわれ」の「期待に反して（ママ）……実にあっけなく終わってしまった……いちばんいいとこ」が何者かによって「最初の出発点」とされたことによって奪われ、[63] その裏面において「われわれ」が「このメロドラマの観客から登場人物へ、そしてやがて作者へとのぼりつめていった」と松田が決定的に書き付けた瞬間、それは明らかになる。

＊

「われわれ」以外――松田は、この「作者」をほぼ冒頭において確定した。それは「一億人」の「われわれ」だった。だが、松田にとっては、使用するに当たってほぼ必ず傍点が振られたこの「一億人」の「われわれ」とは、ひたすらに「われわれ」以外の何者かを「われわれ」とは部分集合を共有しない補集合として掃き出し・抽出するためにその登場を要請された「われわれ」でなければならない。つまりこの「われわれ」は、松田の表現を以てすれば、その日あの時「TV受像機の前に絶対にいなかったであろう人びと……この日、絶対にTVを見なかったであろう六人の固有名詞」を抽出するために、しかもこの「メロドラマ」に「作者」として経過的に登場させられた、「われわれ」という存在でなければならなかった（二四頁および二三頁：強調原文）。つまり松田にとっては、同時に、この「われわれ」は媒介しながら消滅せねばならない解体すべき集合性でもなければならない、いわば媒辞だった。こうして、この「六人の固有名詞」を抽出するために「観客から登場人物へ、そしてやがて作者へとのぼりつめ」たこの「われわれ」は、松田にとっては「国家権力のTVファシズムとも呼ぶべき巧妙なワナにからめとられたまま、この六人をはるかに望見するのみ」で居座り続ける「われわれ」という国民−臣民であっては決してならない。であればこそ、「一億人」の「われわれ」を柔軟かつ寛容にも「主体」として生みだした「国家権力」が、次のような機制において、導入されるのである。

> この得体の知れない力、国家権力と言い切っておこう、は、一見、そのメロドラマ戦略のなかにわれわれが主体的に参加しているという錯覚を持たしむるほどには寛容であるという一点において、疑いもなく、傑出した支配の技術を所有しているのだ（強調原文）。

だが、であればこそ、まさにここが、正史に拮抗する書き手（エクリヴァン）に科せられた勝負の秋（とき）ではなかったか。確かに松田は、「一億人」の「われわれ」といういわば「主体」の形成は「国家権力の赤裸々な意志」の帰結であると、正しく顕揚するほかなかった。具体性をもって立ち上がる主体なるものとは、およそそのようなもの（つねにすでに臣民）でしかないからである。とすれば、「傑出した支配の技術」を語るこの論法こそ、敢えて言えば、凡庸なメディア論やプロパガンダ論に堕する、危険なそれではなかったか。繰り返すが、支配とは、自己身体の「自立的」支配をも含めて、主体化（れいぞく）において初めて機能することは自明だからである。ましてや松田はすでに、国家の「寛容」や「われわれ」の「錯覚」ではなく、「このメロドラマの観客から登場人物へ、そしてやがて作者へとのぼりつめていった」「一億人」の「われわれ」と、決定的に書き終えている。だが、だからこそ私は、そのような顚倒において初めて、二月二八日の日没近く、「一億人」の

「われわれ」の「期待を一身に背負って、警官隊は、六人のこもる最後の部屋へと乱入した」と敢えて反語的に描く松田の文章の痛苦に満ちた含意を了として腑に賦に落としたことを鮮明に記憶しているのである（「期待」以下の強調は、長原）。

　つまり「一億人」の「われわれ」という主体において「作者」は、彼ら五人と、否、松田によればもう一人の人質とされた「人民」の計六人が、松田のいわゆる「あやうい結合」によって「人民の海へとかろうじてキャナライズ」されたにもかかわらず、当然にも「銃撃戦の実現－兵士の誕生というラストシーンを断じて新たなる階級闘争のトップシーンたらしめてはならぬという国家意志」と衝突し、敗北することで、「二月二八日のシーン」を「終末から発端へと遡及するメロドラマの終幕としてのみ位置付け」られることになったが、だがこの「われわれ」においてそれを赦さないためには、「一億人」の日本人（「われわれ」）と対峙する「一億人」の「われわれ」という内なる「反日」の破線で描かれる対角的描線が是非必要だったのだ（以上二四～二五頁）。だが松田にとってそれは、「反日」することを期待される「一億人」の日本人（「われわれ」）と対峙する「一億人」の日本人（「われわれ」）が括り出した補集合の蜂起する革命派には、であればこそ、ある固有な意味での「真実」が「教理（カテキズム）」において必要であるという論理へ転轍されねばならないそれでもある。

＊

「兵士の誕生」という「真実」――この矛盾に満ちた、いわばバディウの集合論－組織論におけるいわゆる〈強制法 forçage〉というレーニン的視点が必要とされる、[64] 鋳固める構造に身を措き、松田は次のように自問する。「この六人という小さな人間集団が体現した真実とは何であった」のか、と。この六人は「国家権力によって操作されつつあるところの一億人」という「われわれ」主体‐臣民と、「量ならぬ質において拮抗しうるおのれ自身の原理をば、確かに、保持しえていた」のか、と。

その回答は、松田の願望的当為において、もはや明らかだ。松田は「質において拮抗しうるおのれ自身の原理」を「一億人」の日本人（われわれ）が括りだした補集合に、しかも「銃撃線」においてこそ、認める。だからこそ松田は、唐突にも、クルツィオ・マラバルテやクラウゼヴィッツ、そして湯浅赳男や毛沢東、さらには八木健彦などの名を総動員して、[65]「あさま山荘の一発のライフル弾は、合目的的な軍事意思が日本人民の間にまさに誕生したことを満天下に告知した」とし、それを感動的にも「一九四五年八月一五日」という出来事において指定する。そのうえで松田は「〈兵士〉と名づけられるところの人間が、この日本ではじめて出現した」のだと、「一億人」の日本人（われわれ）に（！）戦後革命の敗北を想い起こさせようとする。[66] また翻ってそれをもって初めて、一億人の日本人（われわれ）を「観客」「登場人物」そして「作者」へと柔軟・寛容にも段階的に制作した「国家権力がメロドラマ戦略を縦横に駆使することによってあくまでも蔽い隠そうとした真実こそ、あの凶悪な警官射殺という事実の影にひそむ〈兵士の誕生〉というさりげない秘密」であり、またそれこそが「日本革命の最初の長い日とも言うべきあの二月二八日における画時代的なメルクマール」であったと、松田はその（あるいは彼の）「真実」を規定したのである（以上二一四～二一五頁）。

つまり松田は、戦後革命の敗北後における「兵士の誕生」を抽出するために国家を媒介とした一億人の戦後日本人を論定し、「銃撃戦」においてこの一億人の日本人を国家から奪還するあるいは媒介的に消滅させる隘路を求めているかにみえる。まただからこそ、当然にも「粛清」の重荷を担い続けて「銃撃戦」を顕揚する努力を続けるこの松田は、そのうえで「一九七二年二月二八日、硝煙のなかから誕生した兵士たちを律したであろうところの、兵士のカテキズムは存在していた」のかという「単純かつ明快」な「設問」を繰り返し、次のようにに自答することができる。「あさま山荘における兵士の誕生の前提には、兵士のカテキズムがあった」のであり、「このカテキズムによってこそ、兵士たちは初めて〈敵〉を狙撃しえた」のであって、したがって唯銃主義批判のように「そこにライフルがあったから、という素朴なフェティシズムでは、私たちは、敵を殺しえない」と（二七〜二八頁）。

だがこの論法は、どの様に「粛清」と折り合いを付けることができるのか。そこには、「兵士の誕生」との相互性において主体を国家権力を媒介して規定的に形成しあった一億人の日本人における「兵士」の「教理」の顛覆的分有という問題が浮上せねばならないはずだ。そしてそれは、「粛清」問題を「銃撃戦」との一体性において論じるという隘路をふたたび要請することになる。

*

粛清という「事実」と「われわれ」の「止揚」——それはまず、二月二八日以後における国家

権力による「圧倒的な饒舌」や「〈血の粛清〉の大コーラス」に対して「われわれが沈黙のカテキズムで自分を厳しく律することを怠ったために、兵士の誕生の真実は新たな流動過程へのトップシーンへ転化することなく、逆に、文字通りのラストシーンとして、日々、堕められるという事態が、いま眼前で惹起されつつある」とすることで（二八頁）、彼（か）の革命的補集合を抽出するために媒介的に消滅せねばならない一億人の日本人（「われわれ」）というレヴェルにおける「カテキズム」の要求、敢えて言えば法外な――言い換えれば、ウザい――要求として、以下のように俎上に挙げられた。

> 少なくとも、われわれがあの二月二八日、自らの手でスウィッチを切って、メロドラマ戦略の支配下に組み入れられることを自ら拒絶するという行動をとりえなかった以上、「いちばんいいとこ」へ向かって、結末から発端へと逆流を強いられつつある眼前の全過程から免罪されるものなどいやしないのである。

ギル・スコット・ヘロンの〈Revolution Will Not Be Televised〉を想起させるこの問題を、[67] 松田は「ラストシーンからの逆流の全過程、すなわち銃撃戦‐血の粛清のすべてに貫徹し、すべてを一連の軍事過程として考える方法こそが問われている」がゆえに、「粛清」の問題として「やはり、かの、私のいう〈兵士のカテキズム〉がいかに貫徹されえなかったのかという一点にのみかかわる」としたうえで、ついに「〈敵〉を殺すため、私たちは、確かに兵士のカテキズムを必要とした。しかし兵士のカテキズムを紙に書かれた文字から私たちの血肉へと転化せしめるために、果して、文字通りの血の肉のいけにえが必要であった」のかと問い直すほかない（以上二八〜二九頁）[68]。だが、この「私たち」とはいったい誰なのか？　この曖昧な「私たち」に変身した「われわれ」への返答が見いだせないからこそ、松田は、ハッとして立ち止まり、あたかもこれまでの自らの行論を逆走するかのように、次のよう振り返ることを余儀なくされるのであり、ふたたびだからこそ、このように立ち止まり右顧左眄する松田のこの論攷にこそ、何よりも大きな意義があるのだ。

先ほど、「銃撃戦 - 血の粛清」と記述したが、この記述はラストシーンからの逆流という、やつらにおけるメロドラマ戦略によって無意識のうちに整序されてしまったところの時系なのであり、事実としては、私たちは、〈同志殺し〉から始めることによってのみ、初めて、銃撃戦の地平へと到達しえたのだという冷酷な過程をあくまでも直視しなければならないのである。むろん、この直流の過程は、悲劇だ。しかし、私たちは、この悲劇をば、メロドラマの方向にではなく真実の方向においてのみ、厳密に止揚しなければならないのである（強調長原）。

だがふたたび問わねばならない――この「真実の方向」とはいったい何か。松田は、すでに「その場限りのご都合的な見解の狂騒的噴出」と私が註記した当時の「戦いの手記の販売人ども」を「銃撃戦 - 血の粛清という国家権力のメロドラマの文脈の完成者」として弾劾しながら、しかし「繰り返し言わなければならぬ」として、問題の所在を「ただ、血の粛清 - 銃撃戦という真実の文脈のうちにのみある」と真摯に語るほかない。なぜなら、一億人の日本人（「われわれ」）が抽出した革命的補集合が事前に知っていて、一億人の日本人（「われわれ」）が事後にのみ知らされた、しかも決定的にも、いわゆる国家の制作になる「事実」を介するという迂路を回避することなく「厳密に止揚」されねばならないこの〈知っていることについての不等価交換〉という何事かに関わって、この真摯な松田がふたたび提起した「簡明かつ率直な」設問とは、「私たちは、二月二八日以後、おのれを再び兵士として定立しうる」のかであり、「新しき〈兵士のカテキズム〉の獲得に向かって前進しなければならない」という一億人への日本人（「われわれ」）に呼びかけでしかなかった（以上二八〜二九頁[69]：強調長原）。だがこの「おのれ」が松田において誰であれ、こうした要請は、ひとたび或る一点を眼差したことで国家に眼差し返された国民‐臣民において果たして機能するのか？「われわれ」の「おのれ」はどのように新たな「われわれ」になれと、誰に、言われているのか？そもその「われわれ」は、それまでも機能してきたのか？ 革命という資本はその大義‐誓約のもとに結集した党員の身体を革命というその蓄積運動においてどのように「処置」できるのか？ それはカテキズムによって「回収可能」なのか？

VII　出来事の相続しえない「残滓」

バディウはかつて次のように書いていた。

死を喚起することではわれわれが目撃していることにとっての便利な名にわれわれを導くことができるだろうか？　われわれは単なる目撃者にすぎないのか？　私がいま問いかけているこの「われわれ」とは誰なのか？　この者は何によって成り立っているのか？　もはや一箇の「われわれ」は存在しない。またこれまでも長い間存在してこなかった。「われわれ」は「コミュニズムの死」の遙か以前にすでに衰退していたのだ。[70]

バディウは「党－国家の崩壊が国家の歴史に内在する過程である所以」を論ずるために冒頭でこのように「われわれ」の存在を遙か以前に遡って否定したが、[71] そしてそれは「コミュニズムの死」と連動していたが、ポオの長詩《大鴉》を書き直すために書かれたポオの『構成の原理』からその論を始め、媒介的に消滅する「われわれ」を定立したうえで「新しき〈兵士のカテキズム〉の獲得」を

> ラストシーンをしてトップシーンに転化せしめよ。私たちの大鴉をしてOne more againと呼ばしめよ。――わが〈兵士のカテキズム〉第二版の基層へ向かって、私たちは「数学の問題の正確さと厳密な因果関係をもって、一歩一歩」と、今こそ踏み出さねばならない

と、「私たち」一億人の日本人（「われわれ」）に呼びかけ、この苦難の論攷を締め括ろうとする松田は（二九頁）、しかし、みずからが引いたポオの『構成の原理』の核心を見落としているのではないか。という

のもポオは、「ぼくは自分が構想した詩作品に適当と思われる長さを即座に考えついた。すなわち約百行の長さだった。実際には百八行ある」と、シレッと書いているからである。[72] この「約」と「八」というドゥルーズのいわば「非精確な」残滓のシレッとした放置——だからこそ「この詩が必ずしも『構成の哲理』通りに書かれたのではないことは、ほかならぬこの書が明白に物語っている。また完成された詩がポオの意図を裏切り、分析的知性を超えるものをもっているのも事実である」とすれば、[73] この期せずして超過した「八行」とは「約」「百行」に不可避にこびり付く「残滓 Überreste/remain」あるいはデリダ的に言えば「還り来る者」つまり死者の「その名」ではないのか? 或るドイツ演劇の研究者は、ブレヒトの「処置」を論じて、判決(原的-部分) Ur-teil を受け容れることを前提に「我々は判決を要求する」として、処刑された「彼」を処刑した同志たちが入れ替わり立ち替わり演じた(!)ことについて、それが「事後報告」であり、またすでに「過去」であることを重視し、その理由を「党の決定では計ることのできない何かが存在することを彼らが予感していたからではなかろうか。つまり、党が綴る正史としての歴史からは漏れる、歴史の「残余(Überreste)」がそこに存在する」からではないかと、[74] 正しく指摘している。

*

「世界の灰汁 Abschaum der Welt」——「その名」のみを救い、その〝〔意義を〕保つ-〔欠を〕

補う〟とは、石灰に塗れて主語に立った「粛清」つまり「粛清」された者たちを「銃撃戦」という目的語において救い、その〝〔意義を〕保つ－〔欠を〕補う〟ことではない。だが「銃撃戦」を主語において「粛清」を廃棄することが可能であると保証するものも何もない。相続しえない「残滓」とは、こうして、相続を強いている「死（者）」の「名」であるほかないからこそ、「その名」だけが、その「欠」を補われ、その意義が保たれる。とすれば、「兵士」の「教理（カテキズム）」なるものは、何処にも「発見されてはならない」。[75]

註

1 この短い文書では、Yutaka Nagahara, "1972: The Structure in the Streets," *The Red Years: Theory, Politics, and Aesthetics in the Japanese '68*, edited by Gavin Walker, London and New York: Verso, 2020 では書き尽くせなかった議論を敷衍的に展開している。

2 C・L・レヴェック＋C・V・マクドナルド編『他者の耳』浜名優美・庄田常勝訳、産業図書、一九八八年、一九頁。強調長原。なお以下で使用するすべての邦訳は、行論の都合上、変更した場合がある。

3 ベルトルト・ブレヒト「処置」〔岩淵達治訳〕『ブレヒト教育劇集』改訳版、千田是也・岩淵達也訳、未來社、一九八八年、七八頁。

4 前掲『他者の耳』一〇頁。強調原文。

5 同前、強調長原。

6 マルクス『資本論』第一巻、第一分冊、大月書店、一九六八年、九頁。また関連して、長原豊「死者が生者を捕らえる」同『敗北と憶想』航思社、二〇一九年なども参照されたい。

7 長原豊「はじめに」同前『敗北と憶想』を参照。

8 Alain Badiou, *Le réveil de l'histoire: Circonstances 6*, Paris: Nouvelles Éditions Lignes, 2011, pp. 35-36 参照。

9 ブレヒト（「処置」）・サルトル（「汚れた手」）的圏域に関わるこの問題そのものを比較的早く（一九六四年）論じたものとしては、松下昇「ブレヒト『処置』の問題」（666999.info/matsu/data/br3.html）〔初出：神戸大学『近代』第三六号、一九六四年八月〕がある。なおこの論攷は『松下昇表現集』『あんかるわ』別号〈深夜版〉2，一九七一年一月の一三四～一四三頁に収録されているが、より詳細な情報については、kusabi.webcrow.jpを参照。当初私は、この松下を含めて、長崎浩『政治の現象学あるいはアジテーターの遍歴史』田畑書店、一九七七年を正面に置いて資本批判と相同の位相で資本としての「前衛党」なるものへの批判を展開する予定だったが、紙幅の関係で、他の機会に譲ることにする。ともあれその要点は、マルクスが各所で使用した言葉〈disponible〉——自由に使える・待命中の・空席待ちの・在庫品・流動資産・予備役——に深く関わっている。

10 私がここでデリダが用いた葬儀に由来する「災い funeste」という言葉を悪い星回りに由来する「厄災 désastre」に捩じ曲げて用いるのは、Alain Badiou, *D'un désastre obscur sur la fin de la vérité d'état*, Paris: Editons de l'Aube, 1998を想起しているからだが、このバディウは最後にもう一度登場することになる。

11 ピエール＝ジョセフ・プルードン『貧困の哲学』下巻、斉藤悦則訳、平凡社ライブラリー、二〇一四年、三五一頁。なおマルクスの「木材窃盗取締法にかんする討論」（『マルクス＝エンゲルス全集』第一巻、大月書店、一九五九年）を題材とした以下の作品も参照されたい。Daniel Bensaïd, *Les dépossédés. Karl Marx, les voleurs de bois et le droit des pauvres*, Paris: La fabrique éditions, 2007.

12 その冒頭で、死者の「眼球の水晶体」に何が映っていたのかと問うた高橋和巳が編んだ『明日への葬列』（合同出版、一九七〇年）が、「それ」以降に編まれたとしたらどう書かれただろう（高橋は、幸いなことに、一九七一年五月に他界している）。だが小嵐九八郎は、異なった文体で同様の葬列を描くことを試みた（小嵐九八郎『蜂起には至らず』講談社、二〇〇三年）。

13 アントニオ・ネグリ「第二部　好機・豊穣・多様性」同『革命の秋（とき）』長原豊・伊吹浩一・真田満訳、世界書院、二〇一〇年参照。なお〈時を刻む〉については、Gayatri Chakravorty Spivak, "Time and Timing: law

"and history," in John B. Bender & David E. Wellby eds., *Chronotypes: The Construction of Time*, Stanford CA.: Stanford University Press, 1991 も参照せよ。

14 前掲『資本論』第一巻第一分冊、七頁。

15 このように言うのは、あの出来事が露見した直後、現代では決して口にできない〈粛清 - 銃撃戦〉一体論のマッチョな下ネタ的比喩が平岡正明から発せられたことを私が記憶しているからである。平岡の〈連合赤軍という出来事〉への応答でもある、平岡正明「赤色犯科帖 I——革命は魔道である」（同『犯罪・海を渡る』現代評論社、一九七三年、一八〇頁）を参照されたい。この出所を思い出させてくれた友人が示唆してくれた副題にある「魔道」から私は、ラカンの『テレヴィジオン』（藤田博史＋片山文保訳、青土社、一九九二年）にある一文——「服わぬ者は彷徨う les non-depes errent」——が思い浮かび、「惑う」と読み違えてしまう。真理論でもある『テレヴィジオン』は、本来は、この文書にも大きく関わっているだろう。

16 毛沢東の例の〈一分为二（・合二而一）〉とは、顚倒的には、そういうことだ。アラン・バディウ『世紀』長原豊・馬場智一・松本潤一郎訳、藤原書店、二〇〇八年参照。

17 悪罵・喧噪・沈黙・無言に具体的に党派や運動をそれぞれ割り振ることもできるが、それ自体、もはや無意味だろう。とはいえ、各派の基本的トーンについては、高沢皓司・高木正幸・蔵田計成『新左翼二十年史——叛乱の軌跡』新泉社、一九八一年、一八二～一八七頁を参照。以下で読む書き手たちと同様、「事態」に遭遇して苦闘した蔵田計成は、共産同戦旗派「連合赤軍の破産に関する我々の見解」（『戦旗』第二九四号、一九七二年三月二三日）に依拠して、即応的に諸党派の応接を紹介しているが（同「連合赤軍の「血の教訓」とは何か！」上、『査証』第五号、一九七二年九月五日、七六頁）、同論文の「下」が書かれることはなかった。それから数年後の一九七五年九月の日付がある文書が、「序にかえて——共産主義者同盟の発展過程と連合赤軍」として、高沢皓司編『資料 連合赤軍問題 II 新編「赤軍」ドキュメント——査証編集委員会編』新泉社、一九八六年に収録されているが、両文書は六〇年安保闘争後の共産同解体と革通派の結成を担った蔵田らしい魂（パトス）に発する痛苦の記述で溢れている。

18 以前から私が主張してきた、私のいわゆる〈嵌め殺しの世代〉については、Nagahara, "1972: The Structure

"in the Streets," op.cit. で長めに展開しておいた。

19 文学部学友会と「文処分」の一断面については、取り敢えずは清水靖久のドキュメンテーション「東大紛争大詰めの文学部処分問題と白紙還元説」(『国立歴史民俗博物館研究報告』第216集、二〇一九年三月)とそれへの応答である折原浩「『総括』からの展開　5」(hkorihara.com/tenkai5.html)および同『東大闘争総括――戦後責任・ヴェーバー研究・現場実践』未來社、二〇一九年を参照。

20 それは連合赤軍事件の全体像を残す会がドキュメントした文献リストを一瞥するだけで充分に理解できる(連合赤軍事件の全体像を残す会編『証言　連合赤軍』皓星社、二〇一三年)。小説作品などについては、渡邊史郎「死に泥む――連合赤軍事件に関する諸作品への試論」『日本語と日本文学』第六六号、二〇二〇年などがインフォーマティブである。また高橋源一郎の当時の党派性との関係で興味深い、大西永昭「高橋源一郎と連合赤軍事件」『近代文学試論』第四六号、二〇〇八年もみよ。なお若松孝二の《実録・連合赤軍　あさま山荘への道程》(二〇〇八年)については、Alberto Toscano, "Walls of Flesh: Tne Films of Koji Wakamatsu (1965-1972)," *Film Quarterly* 66(4), 2013 や Christopher Perkins, *The United Red Army on Screen: Cinema, Aesthetics and The Politics of Memory*, London: Palgrave Macmillan, 2015 などがあるが、このような趣味の仕事(オリエンタリズム)にはもううんざりであり、別稿が必要だ。

21 ジル・ドゥルーズ+フェリックス・ガタリ『千のプラトー』宇野邦一ほか訳、中、河出文庫、二〇一〇年、二八四~二八五頁。なお〔 〕内の文章と強調は長原。

22 「真理の成長、真なるものの遡行的運動」を想起してほしい(アンリ・ベルクソン『思考と動き』原章二訳、平凡社ライブラリー、二〇一三年)。またこの点についてはバディウの「出来事前的-出来事後的な主体sujet pre-/post- événementiel」が必須の概念である。Daniel Bensaïd, « Alain Badiou et le miracle de l'événement », in do., *Résistance. Essai de taupologie général*, Paris: Fayar, 2001, pp. 143ff. および Nick Srnicek, "What is to be done? Alain Badiou and the Pre-evental," *Symposium Canadian Journal of Continental Philosophy*, 12(2), 2008 参照。

23 ブロックは「いずれにしても、誰もすべてを見た、あるいはすべてを体験したと言うことはできないのだ。

各人が言うべきことを率直に言うべきだろう。真実はこうした率直さが凝集されたところから生まれるだろう」と書いている（マルク・ブロック『奇妙な敗北』平野千果子訳、岩波書店、二〇〇七年、六七頁）。私は、ユダヤ人のレジスタンスとしてナチスに処刑された――だが最近では、彼を「愛国者」という一語を以て小馬鹿にする傾向があるようだが――この歴史家マルク・ブロックの歴史方法論と、ドゥルーズ＝ガタリのそれとを交錯させる試みを準備している。とまれバディウの盟友だったラザルスの Sylvain Lazarus, « Hommage à Marc Bloch », *Resistants et resistance*, Sous la coordination de Jean-Yves Boursier, Paris: L'Harmattan, 1997 を真面目に読むことを推奨したい。

24 マルク・ブロック『フランス農村史の基本性格』河野健二・飯沼二郎訳、創文社、一九五九年、一二頁。強調長原。

25 マルク・ブロック『新版　歴史のための弁明』松村剛訳、岩波書店、二〇〇四年、二八頁。［　］は、Marc Bloch, *Apologie pour l'histoire ou Métier d'historie*, Édition annotée par Étienne Bloch, Préface de Jacques Le Goff, Paris: Armand Colin, 1993, 1997 にもとづく校訂新版での挿入。

26 Frederic Jameson, "The Vanishing Mediator; or, Max Weber as Storyteller," *The Ideologies of Theory*, London: Verso, 2008 参照。

27 よく知られている梅内のこの「回状」は、まず「手書原稿」のまま『査証』第四号（一九七二年六月一五日）に掲載され、次いで、「一九七二年四月一六日脱稿、一九七二年五月一〇日付投稿」との但し書きを添えて、松田政男が仕切っていた『映画批評』一九七二年七月号に掲載された。その後、平岡正明・太田竜・竹中労ほかの応答を添えて、岩永文夫編『蝶恋花通信』（蝶恋花舎、一九七二年六月）に再掲載され、竹中労・平岡正明『『水滸伝』――窮民革命のための序説』三一書房、一九七三年にも収録された。また上記『査証』第四号には、共産同赤軍派東京都委員会「コメント1　梅内同志のアピールに対して」、もっぷる社事務局「コメント2　世界革命浪人　梅内恒夫に」および手書きの「資料　モップル通信特別号（一九七二年四月二〇日）全文再録」なども掲載されているが、その後共産同諸派は一方的にいわばスルーすることになる。

28 高橋源一郎にも当てはまる――しかし、糸井重里には当てはまらない――「都会っ子」という表現、あるいはついでに書き足せば、早熟で敏にして聡い有名進学校の「都会っ子」という表現には、宇野弘蔵のいわゆる「田舎の鈍才」にはなれなかった中途半端な私のルサンチマンが込められている。例えば、私と同学年の四方田犬彦が軽快にその虚実を書き散らした自分を神格化するためだけの同時代史（『ハイスクール1968』新潮社、二〇〇四年）と、私と同い歳で大学での私の友人と高校で同級であった加藤倫教がその著『連合赤軍　少年A』（新潮社、二〇〇三年）で繰り返し言及した「田舎」や「田舎」の素封家が通わせる仏教系の地元進学校の生徒だった自分の「名前」に込められた父の期待との、六〇年代的あるいは昭和的な惨めなまでの対照‐落差が、私に「それ」を介した七〇年代以降におけるさまざまな変遷を考えさせる。つまり、高校や街頭で一暴れした都会っ子の活動家たちの多くは、一九七二年以降、いわばさっさと街頭から「召還」し、政治的・文化的な「地理‐地政」に疎く街頭や党派政治に取り残された愚図の田舎者たちがあの一九七〇年代を地下や地上でさまざまに右往左往しながら彷徨い、なかには「出奔する」者さえいたのだ。だが言っておけば、話題になった小林哲夫の『高校紛争1960‐1970――「闘争」の歴史と証言』（中公新書、二〇一二年）にもそれらしい項目がありながらもじつはほとんど書かれていない、商業高校や工業高校そして農業高校の生徒たちの、ノンポリとはまったく異なるいわゆる前政治的（アポリティカル）な「存在的叛乱」もまた、同時期に出現していた。それは、小林がその著の主題においた「紛争」でもなければ、副題でおずおず復権させた「闘争」でもなく、純然たる「破壊と乱痴気」を伴い、マルクスが「ブリュメール18日」の冒頭で描いた過去から借りた衣装を纏って、まさに街頭に登場したのである。平岡正明が言う「僕らの風景論や次の人民地図論」は、しかし、富山が発祥の地である暴走族をオルグろうとした富山大学の社青同解放派の活動家が、これも覗きに来ていた富大の民青の目の前で、鼻で軽くあしらわれる様子を目撃した私に言わせれば、残念なことに、沖縄を想起させたいらしい「ヤギのにおい」（むしろ大陸を想起させる「ヒツジのにおい」方が妥当ではないか）がしない無味無臭の農耕定住民によって握り潰され、彼ら自身もまた、当時の農林省肝いりのスーパー農道を土禁シャコタンの高級セダンで走り回る程度の兼業農耕定住民になってしまった。平岡正明＋竹中労『窮民革命――その戦略と戦術』『現代の眼』一九七二年九月号、一二二頁、一二四頁、一三一頁。なお、長原豊「雑業（ヤサグレ）の遺恨」前掲『敗北と憶想』も参照。

29 以上、坪内祐三『一九七二――「はじまりのおわり」と「おわりのはじまり」』文春学藝ライブラリー、二〇二〇年、一三～一四頁。強調原文。同書を構成する文書は『諸君！』（二〇〇〇年二月号～〇二年一二月号）に連載され、二〇〇三年に文藝春秋社から単行本として刊行されたが、その後二〇〇六年に文春文庫、さらに二〇二〇年に文春学藝ライブラリーとして、再刊された。

30 田中角栄の『日本列島改造論』は、まさに一九七二年六月に日刊工業新聞社から刊行され、自由民主党広報委員会〈学習シリーズ 39〉として頒布された。

31 南亮進『日本経済の転換点』創文社、一九七〇年などを参照。

32 こうした気分的・体感的にもシックリくる戦後史の時期区分を読むとき、例えば、例の「ニューアカ」を〈新しい赤〉じゃないかなどといった笑えない駄洒落とともに、一九八〇年代は「戦後の転換点」だとか、「「いま」の源流」などといったノーテンキな戦後「史」なるものを垂れ流す、私と同年代であったり、坪内と同年代だったりする大家のセンセ方が経験したなどと称している（おそらくは彼ら・彼女にとって〈好都合にも失われた〉）十年としての一九七〇年代の質を問うてみたくもなる（斎藤美奈子＋成田龍一「なぜいま「一九八〇年代」か」同編著『1980年代』河出ブックス、二〇一六年、一一～一二頁）。実際、興味深いことに、その数年前、これも同様、大澤真幸と斎藤美奈子らが編集に参加した「一九七〇年転換期」を表題の一部として掲げた企画本の末尾を飾る座談会で、まず原武史は「六〇年安保がもたらした影響力は、かなり深いところまで届いていたように思うのです。ところが、六八、九年に関しては全くなかった。こうした事実を踏まえるならば、六八～七〇年の転換点云々ということを問題にしているのは、やっぱり、新左翼・全共闘中心史観であり、あまりにも旧左翼・既成左翼をないがしろにしてはいないだろうか、という気がするわけです」と語り、それに応じて宇野弘蔵的には「田舎の秀才」の大澤は「じつは僕は、この仕事〔本書の作成〕をやりたいと思った一つのきっかけは、原さんの『滝山コミューン一九七四』（講談社）のこともあるんですよ。……単純に七二年には左翼の運動が壊滅的になったというふうになんとなく思うわけだけど、七四年の滝山コミューンをみると、そんなことは全然ない。……とまれ、単純に左翼の運動が消えたとは到底言えない。ある観点から見ると、六八年から七二年くらいの間に大きな断絶があるように見える。でも、別の観点から見るとそんなものは全然見えないという二重性がある」と原を中途半端にヨイショし、さらに斎藤美奈子は「六八年や七二年にある時代が終わったというのは、団塊の発想というか、全共闘史観の発想ですよね」などと無意味に被せている。「別の観点」からみた「二重性」とは、しかし、国家の正史ではないのか――「幸せは歩いてこない　だから歩いて行くんだね」？　大澤真幸・斎藤美奈子・橋本努・原武史『一九七〇年転換における『展望』を読む』筑摩書房、二〇一〇年、四四六～四四七頁。

33 竹中労・平岡正明「水滸の人々、撃・撃・撃！」（初出『現代の眼』一九七三年三月号［一九七二年一二月二六日の対談］）竹中労・平岡正明『『水滸伝』――窮民革命のための序説』三一書房、一九七三年五月三一日、三六〇頁。もちろんこれは、すでに『辺境最深部に向かって退却せよ！』（三一書房、一九七一年）などのいわゆる辺境革命論を掲げていた太田竜が『現代の眼』（一九七二年一二月号）に公表した「三馬鹿ゲバリスタへの訣別状」への応答である。

34 長原豊「〈空費〉の存在論」同『ヤサグレたちの街頭――瑕疵存在の政治経済学批判　序説』航思社、二〇一五年参照。

35 前掲『資本論』第一巻第二分冊、八三九頁。

36 もちろん佐藤満夫・山岡強一監督《山谷　やられたらやりかえせ》（一九八五年）と山岡強一『山谷　やられたらやりかえせ』現代企画室、一九九六年が即座に思い起こされるべきである。なお、竹中労『山谷　都市反乱の原点』全国自治研修協会、一九六九年はいまもなおその重要性を失ってはいない。牧村康正『ヤクザと過激派が棲む街』講談社、二〇二〇年も参照。

37 エルンスト・ブロッホ『この時代の遺産』池田浩士訳、ちくま学芸文庫版、一九九四年、八五頁。

38 当時の週刊誌および月刊誌に掲載されたさまざまな「文書」は、高沢皓司がまとめた「連合赤軍事件文献ノート」同『歴史としての新左翼』新泉社、一九九六年でほぼ網羅的にドキュメントされている。

39 『現代の眼』が実質的に初めて連合赤軍「事件」に言及したのは、山口正元「特別寄稿　濃紺の光と影――民主警察の内幕」（『現代の眼』一九七二年七月号）という怪文書によってであったが、そこでは、一九七一年に起きた一連の「事件」――明治公園の爆弾「事件」（六月一七日）、追分交番クリスマスツリー爆弾「事件」

（一二月二四日）、土田・日石・ピース缶爆弾「事件」――などの流れからＣＩＡ陰謀説に立って、「『連合赤軍』それは公安当局の創作である。じつに見事であった」と書かれている（同前、二五五頁）。とはいえこうした陰謀説類似の見方は、いち早く日本共産党からも出されていた。『毛沢東盲従の末路――「連合赤軍」事件の根源をつく』日本共産党中央委員会出版局、一九七二年五月一日参照。

40 「編集後記」『査証』第二号、一九七二年一月、一八七頁。

41 松田のこの論攷は奇妙な経緯を経て複数の雑誌に間をおかず掲載されている。まず最初に公表されたのは、すでに述べたように一九七二年四月二八日刊行という日付がある『査証』第三号でだが、間をおかず一九七二年五月一五日付で『別冊　経済評論』Summer '72 に公表され、そこでは小見出しが付けられていた。その後、田畑書店から一九七三年九月二五日付で刊行された『不可能性のメディア』に収録されたときには、漢字や仮名遣いなどの訂正が施されたうえで、ふたたび小見出しが削除され、『査証』第三号とほぼ同様の組み版で刊行されている（本書の「あとがき」には一九七三年九月一〇日の日付がある）。以下引用は『別冊　経済評論』版により、頁数だけを本文中に示す。また『別冊　経済評論』版は横組みであることからアラビア数字が用いられているが、引用するに当たって漢数字に変更した。さらに必要に応じて松田が引用したポオについては、原典を示しておいた。なお〔　〕内は長原の補足。

42 竹中労「セキグンヤサバカランド　Ｉ」『査証』第三巻、一九七二年四月二八日、八三頁および八五頁。なお同号にも、塩見孝也・川島豪・重信房子・佐野茂樹・三井次郎などの名で勇ましい議論が掲載されているが、無慚なまでに論ずる意味がない。とまれ、この間の竹中や平岡については、取り敢えず、大谷能生『平岡正明論』株式会社Ｐヴァイン、二〇一八年や鈴木義昭『風のアナキスト　竹中労』現代書館、一九九四年を参照されたい。また竹中の「アジア」については、羽仁五郎・竹中労対談『アジア燃ゆ　反日感情のゆくえ』（現代評論社、一九七四年）という異様な迂回的介入がむしろ興味深い。

43 松下竜一『狼煙を見よ』河出書房新社、一九八七年や東アジア反日武装戦線ＫＦ部隊『反日革命宣言』風塵社、二〇一九年などをみよ。

44 長崎浩『叛乱を解放する――体験と普遍史』月曜社、二〇二一年、五三頁。

45 吉本隆明『いまはむしろ背後の鳥を撃て――連合赤軍事件をめぐって』ルビコン書房出版局、一九七二年八月五日。これはルビコン書房設立一周年記念講演会の記録だが、まずルビコン書房出版局から刊行され、『査証』第五号（一九七二年九月五日付け）に転載され、最終的には『知の岸辺――吉本隆明講演集』弓立社、一九七六年に収録された。以下引用に当たっては、ルビコン書房出版局版の頁数を本文中に示す。『査証』第五号での転載ついては、『横浜国立大学新聞』一九七二年六月二五日付が原資料とされているが、詳細は不明。

46 論点としてのいわゆる「共産主義化」論も含めて、森恒夫『自己批判書』（『遺稿　森恒夫』査証編集委員会、一九七三年、高沢皓司編『資料　連合赤軍問題Ⅰ　銃撃戦と粛清――森恒夫　自己批判書全文』新泉社、一九八四年）をとりあえず参照。

47 吉本隆明「藝術的抵抗と挫折」（一九五八年）『藝術的抵抗と挫折』未來社、一九五九年参照

48 八〇年代前半のアジア論を集成した吉本隆明『アジア的ということ』（筑摩書房、二〇一六年）で論じられている吉本固有の〈アジア的なこと〉については、一度きちっと対質する必要があると考えている。

49 何を措いても、福本勝清『アジア的生産様式論争史――日本・中国・西欧における展開』社会評論社、二〇一五年を参照。なおJohn E. Rue (with the assistance of S. R. Rue), *Mao Tse-tung in Opposition 1927-1935*, Stanford, California: Stanford University Press, 1966、Hsiao Tso-Liang（蕭作梁）, "Chinese Communism and the Canton Soviet of 19727," *The China Quarterly*, No. 30, 1967、山本秀夫「土地革命戦争期の土地綱領の分析」山本秀夫・野間清編『中国農村革命の展開』アジア経済研究所、一九七二年、および天児慧「土地革命と毛沢東――1929～30年赤色根拠地における土地闘争を中心として」『一橋研究』第三一号、一九七六年六月などもみよ。

50 竹中労「〝愛しの『ドグラマグラ』〟結びにならない・結び」『幻想文学』二七号、一九八九年九月。引用は、前掲『風のアナキスト　竹中労』から（一四一～一五〇頁）。なお強調は長原。秋瑾については、武田泰淳『秋風秋雨人を愁殺す――秋瑾女士伝』ちくま学芸文庫、二〇一四年および竹内実『コオロギと中国の革命』ＰＨＰ研究所、二〇〇八年などを参照。

51 竹中労「梁山泊窮民革命教程」前掲『『水滸伝』——窮民革命のための序説』八八〜八九頁。

52 サイードのオリエンタリズム批判に乗って当時流行った「アジア」論は、そのマルクス理解も含めて、姜尚中『オリエンタリズムの彼方へ』岩波書店、一九九六年などが典型である。なお植村邦夫の教科書『アジアは〈アジア的〉か』ナカニシヤ出版、二〇〇六年も参照。しかし、スピヴァク『ポストコロニアル理性批判』（上村忠男・橋本哲也訳、月曜社、二〇〇三年）を精読したうえで、Gayatri Chakravorty Spivak, "Foreword" and "Our Asias – 2001: How to Be a Continentalist," *Other Asias*, Oxford: Wiley-Blackwell, 2007 程度ぐらいは参照すべきだろう。

53 寺山修司「森恒夫論」『死者の書』土曜美術社、一九七四年、一三頁。当初この文章は、雑誌『現代』一九七二年五月号の特集「実録・連合赤軍——永田洋子　森恒夫——の正体を総括する」に掲載され、次いで「集中弾圧に対するわれわれの反撃——本誌編集部のアンケートによせられた回答」（『序章』第八号、一九七二年五月二〇日）へ、内容がほぼ同様ながら短い「回答」として、公表されている。以下引用は、土曜美術社版により、引用頁は本文中に示すが、ほぼ同一ながらやや異なる『序章』第八号掲載の異文については註記し、そのつどコメントする。なお付け加えておけば、『序章』同号には、上野勝輝・八木健彦・上原敦男・雪野建作などが寄稿している。後掲の註68および註69にも関わっているが、いわゆる「革左」憎しからか、終始一貫「森・永田一派」という呼称が用いられるに到っている。

54 ポール・ヴェーヌ『フーコー』慎改康之訳、筑摩書房、二〇一〇年、二〇頁。Paul Veyne, « Foucault révolutionne l'histoire », in do., *Comment on écrit l'histoire, augumenté de Foucault révolutionne l'histoire*, Paris: Seuil, 1971. またいわゆる「現在の歴史」論に関わって、一九八八年にパリで開催されたフーコーについてのコロク（*Michel Foucault Philosophe: Rencontre internationale, Paris, 9, 10, 11, janvier 1988*, Paris: Seuil,1989）の記録集には再録されなかったドゥルーズの介入（Gilles Deleuze , « Foucault, Historien du présent », *Magazine littéraire* 257, Septembre 1988）や Robert Castel, "'Problematization' as a Mode of reading History," in Jan Goldstein eds., *Foucault and the Writing of History*, Oxford: Blackwell, 1994 および David Garland, "What is a 'history of the present'? On Foucault's genealogies and their critical preconditons,"

Punishment and Socoiety 16(4), 2014 参照。

55　現在ではバクーニンの関与を否定する議論が優勢である（Richard B. Saltman, *The Social and Political Thought of Michael Bakunin*, Westport: Greenwood Press, 1983 や Paul Avrich, *Bakunin and Nechaev*, London: Freedom Press, 1987）。なお左近毅「バクーニンとネチャーエフ――『革命家の教理問答書』をめぐって」『ロシア語　ロシア文学研究』第六号、一九七四年および同「バクーニンとマルクス――ネチャーエフとの関係をめぐって」『ロシア語　ロシア文学研究』第八号、一九七六年を参照。なおこの論点については、前掲「赤色犯科帖I――革命は魔道にある」でも論じられている。

56　前掲『序章』第八号、二五六頁にも、「にんげんは「血のつまったただの袋」であり、それを思想化する言語はすべて虚構にすぎないかも知れない。事件は、言語レベルで再現され、三現されることによって歴史を獲得してゆくのであると思っております」というほぼ同様の、だがより鋭い歴史記述論があるが、ここではより明快に、「革命の資本」とそれに包摂された身体が「虚構」としての「言語」といった媒介性なしに運動することが暗示されている。「歴史」とはたかだかその事後的言語にすぎない（のか）。

57　Sergey Nechayev, *The Revolutionary Cathechism*, marxist.org Archive on Anarchism

58　前掲『序章』第八号、二五六頁にも、「「あさま山荘の銃撃戦までは支持するが、リンチ事件は困る」という見方をするジャーナリスチックな意見は、孤立した個人の内部まで戦線を退行させるものである思っております。ひとがもし、政治変革に賭けようとするならば「政治権力とはすべて搾取と抑圧の謂」（バクーニン）であり、そのことは共産主義化の革命過程にあっても例外ではないのだ、ということ位は覚悟しておいてもらわなければな革命などは語れないでしょう」という同様の記述がある。

59　例えば藤田若雄『日本労働争議法論』東京大学出版会、一九七三年を参照。

60　エドガー・アラン・ポオ『構成の原理』〔篠田一士訳〕『ポオ全集』第三巻、東京創元新社、一九六三年、四一四頁。

61　この点については、長原豊「作家（わたし）は「私（かこ）」に「私（げんざい）」を上書きしては言い訳し、「私（みらい）」を繰り延べる」『早稲田文学』二〇二〇年冬号、二〇二〇年参照。

62　前掲『構成の原理』、四一九頁。

63　一連の松田の引用は『朝日新聞』一九七二年三月二一日付（夕刊）の七面――「文化」欄（今日の映像）――に掲載された五木寛之の文章「ショー化される〝事件〟――大衆も真実を見誤る危険」という記事によっている。強調は五木自身による。正直に言えば、私のように街頭にいたパンピー左翼の「期待」もそこにあったのだ。

64　〈Forçage〉については、Olivia Lucca Fraser, "Forcing," *The Badiou Dictionary*, edited by Steven Corcoran, Edinburgh University Press, : Edinburgh, 2015, pp. 136-140 を参照。

65　クルツィオ・マラパルテ『クーデターの技術』手塚和彰・鈴木淳訳、中央文庫、二〇一九年。本書は、一九七一年に矢野透訳でイザラ書房から、一九七二年には海原峻・真崎隆治訳で東邦出版社から、それぞれ出版されている。また湯浅赳男については『革命の軍隊』（三一新書、一九六八年）が、そして八木健彦については言うまでもなく『蜂起貫徹・戦争勝利』（『蜂起貫徹　戦争勝利――大菩薩冒頭陳述集』（京大出版会、一九七二年）が参照されている。

66　何よりもまず、田川和夫『日本共産党史』現代思潮社、一九六五年、『戦後日本革命運動史――戦後革命の敗北』Ⅰ・Ⅱ、現代思潮社、一九七一年および佐藤浩一編『戦後日本労働運動史』上、社会評論社、一九七六年を参照。なお Henry Oinas-Kukkonen, *Tolerance, Suspicion, and Hostility: Changing U.S. Attitudes toward the Japanese Communist Movement, 1944-1947*, Westport, Con.: Greenwood Press, 2003 なども参照。

67　「Revolution Will Not Be Televised」についてギル・スコット・ヘロンのインタビュー（動画：1分16秒）参照。また中田亮（オーサカ＝モノレール）の日記 shout（二〇一六年六月二十三日 13：23）osakamonaurail.com/nakata/2016/06/post-112.html 参照。

68　この流れで松田は、「むろん、生者たち、死者たち双方の無念のなかで、通敵行為者は誰であったのかという問題が歴史的に形成される人民の法廷によって解明されることもあるであろう」とスパイ問題＝組織問題を挿入しているが、いかなる革命集団にも必ずスパイが存在することはもはや自明であり、不能な言い逃れである（強調長原）。前掲『風のアナキスト　竹中労』一四一～一四二頁も参照。

69 松田は、このように「新しき〈兵士のカテキズム〉の獲得」を語りながらも、しかし八木健彦の「「宣誓」第四条のひとり歩きが、赤軍派単独によってではなく、異貌の党派である京浜安保共闘との連合過程に端を発していることを考える時、六〇～七〇年代闘争における「革命運動の伝統への革命的批判」へも突き進むことを覚悟しなければなるまい。赤軍派から連合赤軍への転轍の過程は厳密に総括されなければならない」と記している（二九頁：強調長原）。同様の「異貌の党派」論は、蔵田計成にもずっと残り続けたと思われる。蔵田は「連合赤軍は誤りを犯してしまった兵士であった。決して反革命ではない」としながらも（前掲「序にかえて――共産主義者同盟の発展過程と連合赤軍」一三頁）、「栄光と悲惨」への対応のなかに「『グループ分け』の基準が凝集して存在している」と記している（前掲「連合赤軍の「血の教訓」とは何か！」上、七六頁）。

70 Badiou, « La "mort du communisme" », in do., *D'un désastre obscur sur la fin de la vérité d'état*, op.cit., p.71

71 Ibid, p. 25.

72 前掲『構成の原理』四一五頁。強調長原。

73 安藤邦男「大鴉におけるポオの方法」（www.wa.commufa.jp/～anknak/ronbun05oogarasu.htm）への筆者註。なおこれは『名古屋経済大学・市邨学園短期大学人文科学論集』第四八号、一九九一年、九頁にほぼ同様の指摘。

74 石見舟「再認される風景とその歴史性――ハイナー・ミューラー『モーゼル』を例に」慶應義塾大学独文学研究室『研究年報』第三六号、二〇一九年、一五～一六頁。

75 前掲「処置」、九六頁。

暴力革命について

小泉義之

「青年よ再び銃をとるな」から、「権力は銃からうまれる」へ

一九五一年、鈴木茂三郎は、社会党第七回党大会での委員長就任演説で、次のように語っていた。

青年の諸君に対しましては、ただいま再武装論がございます。再武装を主張する当年六十余歳の蘆田均氏が鉄砲を持ったり背嚢を背負うのではないのでございます。再武装をするとすればいわゆる青年の諸君が再武装しなければならないことは当然でございます。私は青年諸君はこの大会の決定を生かすために断じて銃を持ってはならない。断じて背嚢をしょってはならない

（拍手）[1]。

この演説は、以後、「青年よ再び銃をとるな」というスローガンに要約され、日本教職員組合をはじめとする平和運動団体で広く使用された。[2] その意味するところは、軍事力に加担するなということだけではなく、軍事力に対抗するにも銃をとるな、暴力に対しては非暴力で臨め、ということでもあった。それは、戦争放棄と平和主義を旨とする人々に広く訴えるところであった。しかし、少なくとも青年・学生層では、一九六八年を前後して、その状況は変化する。軍事力に加担しないのは当然であるとしても、それに対抗する側が、非暴力・非武装を無条件の原則とするのは正しくないと考えられるようになったのである。この大きな変化について、ハンナ・アーレントは「暴力について」（初出：一九六九年）で次のように書いていた。

かれら〔原子爆弾の影に覆われて育った最初の世代〕の最初の反応は、あらゆるかたちでの暴力にたいする嫌悪であり、ほとんど当然のこととして非暴力政治を支持することであった。この運動の、とくに市民的権利の領域での運動の大成功のつぎに来たのはベトナム戦争にたいする抵抗運動であり、それはこの国の世論の動向を決定する重要な要因となっている。しかし、それ以後事態は変わってしまい、非暴力主義者の方が守勢に立たされていることはだれの目にも明らかであって、暴力の賛美に走っているのは「過激派」だけであるとか、――ファノンのいうアルジェリアの農民のように――「暴力だけが報いられる」ことを発見したのは「過激派」だけだといっても始まらないだろう。[3]

ベトナム戦争は米軍による侵略戦争であり、それに対抗するには暴力を用いないわけにはいかなかった。ベトナム人民は命がけで暴力を行使していた。遡れば、誰かが正義を下さなければならないのにおよそ既存国家にそれを期待できなかったからには、アルジェリア農民が復讐に走って応報的正義を行使するのも当然であった。とするなら、戦争に反対し被抑圧民族を支援するというのなら、遠くのわれわれも命をかけ、軍事暴力や警察暴力に対して暴力で臨まざるをえないし臨まなければならない。「六十余歳」の者はいざ知らず、「青年」は再度、再々度、銃をとらなければならない。情勢と時代精神は一変したのである。これに続けて、アーレントは暴力の必要性と正当性について論じていくのだが、そこに触れる前に、無知や偏見をすこし解いておかなければならない。

いまや、「暴力」や「暴力革命」と聞くと、それだけで、あってはならない、ありえない、それ故に、なしで済ませられる、それ故にまた、考えるまでもない、考えることそのものが間違えている、といった反応を引き起こすだろう。統治者にしても、暴力革命にたまに言い及ぶことはあるにしても、およそリアルに考えているとはとても言えないだろう。しかし、暴力革命は、いささかも遠くの出来事ではない。

そもそも「革命」を国家権力の奪取や国家権力の樹立と解するなら、クーデターも革命の一種である。内戦で勝利することも、独立戦争で勝利することも革命の一種である。したがって、現在のミャンマーやアフガニスタンは、暴力革命が成功した国であるということになる。では、その革命に対して、さらに革命を企てようとするなら、例えば、ミャンマーやアフガニスタンで実効支配を支える軍事力に対抗して政権を奪取しようとするなら、暴力の行使をリアルな選択肢として考慮にいれなければならないはずである。[4] 現在も暴力革命は、リアルな出来事、リアルな可能性なのである。

歴史を振り返っても、教科書で正しき良き出来事として教育されているところの、アメリカ独立は一個の革命であり、暴力革命である。普遍的人権を確立したと教育界でも称揚されているフランス革命はもちろん暴力革命であり、名誉革命と称されてあたかも平和裡に進行したかのように教えられているイギリス革命にしても総体としては暴力革命である。当たり前のことであるが、ロシア革命や中国革命だけが暴力革命だったのではない。[5] それだけではない。「わが国」の明治維新たるや、他に増して典型的な暴力革命である。

桜田門外の変は、「変」と称されてはいるが、わずか十八名による政府高官の暗殺である。要するに、テロである。安丸良夫は、その「斬奸状」と「別紙存意書」を分析して、「公論正議対専制的私権、前者を実現するための「天誅に代」る実力行使という党派的活動様式が成立して、それが権力の頂点に立つ人物をいっきょに殪(たお)したのである」と書き、その「党派的活動様式」は、「伝統的身分制度からいえばなかば疎外された立場」の少数者によるそれまでになかった「新しい活動様式」であるとしていたが、[6] それは要するにテロリズムである。「草莽の志士」「尊王攘夷派の志士」とは、「落首・張紙・投書・放火・生晒・暗殺・梟首」を戦術とする、紛れもなきテロリスト集団である。他方、新撰組は、反革命の白色テロを行使する、これまた紛れもなきテロリスト集団である。そして、安丸も指摘するように、こうした暴力が「歴史」を切断し押し進めたのである。

天誅組の変、生野の変、筑波山の挙兵などの個別の叛乱事件は惨めな敗北に終ったけれども、急進派はそれでも歴史の舞台まわし役であり、謝罪恭順したはずの長州藩内で急進派はかえって影響力を増大させた。公武合体派の中心となっていた薩摩藩でも、西郷や大久保利通は幕府の内情を知ってこれを見限り、久光の意思を乗りこえて新しい方向を模索するようになっていた。どのような政治勢力も、朝廷・幕府・藩という旧体制の側の権力と権威に依拠し利用することなしには、有効な自己主張をすることができなかったけれども、すでに弥縫しえないほどに旧い国家の解体が進んでいて、新しい統合が模索されるほかないような状況が成立してきていた。[7]

この状況を打開していくのが、薩長連合の「武力討幕の盟約」であるが、それはまさに暴力革命の盟約であった。その後の経緯を振り返っても明らかなように、明治維新は、赤報隊の惨殺など党派的な血の粛清や、日本史上最大の内戦である西南戦争などを併発する、典型的な暴力革命であった。安丸は、その維新政権について、こんな総評を与えていた。

神聖でカリスマ的な天皇、偽造された密勅、軍事クーデターという変革手段、攘夷から開国への手の裏を返したような転換、つい昨日まで依拠していた諸勢力の冷酷な切り捨て、厖大な不換紙幣などは、こうした権力だけが駆使しうる権力の魔術であり、無から有を生みだす錬金術である。もちろん、どのような権力も権力にのみ可能な魔術的手段をもっているが、維新政権のような変革期の権力だけが、こうした魔術的手段を駆使することでその脆弱性を代償し、新しい秩序をつくることができる。[8]

暴力革命の権力、暴力という権力は、「新しい」ものを作り出すのであり、その濃淡の違い、成否の違いはあるものの、明治維新的な暴力革命は、少なくない国家や地域で、現在でもリアルな可能性になっていると言うべきである。もちろん、その際に、「権力が銃からうまれる」状況にあるか否かの見極めが必要となるわけだが、そうではあるにしても、「惨めな敗北」が「歴史の舞台まわし役」になる状況がありうるわけで、青年が銃をとることを一律に否定し難いのも確かなのである。[9] 最低限、以上の程度のことは踏まえて、一九七〇年代初めの連合赤軍などにおける「惨めな敗北」を評する必要がある。

政治革命から、文化革命へ

六八年は、革命的な情勢を切り開き、多くの革命的な人間を作り出していた。しかし、その革命は、政治革命としてよりは、社会革命として、さらには、文化革命として捉えられるようになった。言いかえるなら、当時の情勢を政治革命の好機として捉える人間の数は急速に減少したのに対し、平等主義を主導理念とする社会革命、あるいはまた、実存的で美的な生き方を主導理念とする文化革命を旨とする人間の数が急速に増大したのである。こうして、六八年以後の状況は、後の社会運動や消費文化を用意するものであったと事後的・遡及的に見なされるようになる。大塚英志の連合赤軍論もその趨勢を代表するものの一つであった。大塚は、女性革命家の「指輪」と「化粧」に焦点をあてて、こう書いていた。

「指輪」や「化粧」といったある意味でささいな問題を政治路線の対立という大層な問題に仕立てあげてしまうこの種の言語技術そのものに悲劇の理由の一端をこそ見るべきだと思いもするが、逆に遠山美枝子の指輪に象徴される何ものかは政治思想とは別の次元で連合赤軍という組織が「総括」死によって自壊していかざるを得ないほどに、彼らの思想や立場をおびやかすものであったとも思えてくるのだ。[10]

当時の活動家にとって、指輪や化粧は決して「ささいな問題」ではなかった。大塚英志は問題にしていないのだが、指輪や化粧は、少し後の用語で言うなら、ジェンダー秩序・ジェンダー規範を「象徴」するものであった。指輪や化粧をすること、しかも流行の標準に即して行うことは、ノーマルな就職を行い、ノーマルな結婚に進み、ノーマルな人生を歩む者として自らを示すことであり、それはとりもなおさず、ジェンダー役割を自ら引き受け、ブルジョア道徳（市民道徳）に自ら従い、体制派として生きていくことを「象徴」していた。だから、指輪や化粧をどうするのかということは、当時の革命家にとってだけではなく、当時の若者にとっても、決して「ささいな問題」ではなかった。しかし、大塚がこれは正しく指摘するように、指輪や化粧の問題は、当の革命家にあっても、「政治路線」や「政治思想」の次元からは急速に区別されるようになる。それは政治革命の問題として捉えられなくなる。言いかえるなら、社会革命や文化革命の問題として捉えられるようになるのである。そして、政治革命問題から文化革命問題へと速やかに移行できた活動家は、ある意味で幸せであった。かれらは、指輪や化粧の問題を文化的な生き方の問題へと転ずることによって、高度資本主義・消費資本主義の内部で改良派的で抵抗派的に適応を果たせるようになったからである。しかし、政治革命の情勢が依然として続いていると観念していた革命家にとって、そのような適応こそがおぞましいものであった。その意味で、指輪や化粧は、たしかにその「思想や立場をおびやかすものであった」。

このように、一九七〇年代初頭は、急速に、政治革命から社会革命や文化革命へと問題が変容していった。当時、高度資本主義論、先進国革命論が流行したのも、その変容過程の一部であった。その流れの中で、竹内芳郎は、連合赤軍などを念頭に置いて、こう書いていた。

現代革命が〈文化革命〉的性格の強いせいでか、そのことのみに心を奪われて、現代ではどこの国でも、革命における軍事の問題がおそろしく閑却されてしまっている。〔……〕しかし、すでにK・コーリー〔……〕が口をきわめて力説していたように、革命の成否を究極的に決定しているものは実に軍隊の動向なのであって、この問題を回避して革命を語ることは、いつの場合にもまったくの空語にひとしい。ところがわが国では、逆に、〈赤軍〉とか〈パルチザン部隊〉とかと称する革命の軍隊を性急につくることが新左翼の一部に流行しているけれども、これもまた実は、革命における軍事問題の閑却の別の表現でしかなく、実際、こんなものが軍事的にナンセンスであることは、わざわざ証明するまでもない。既成の軍隊の解体をともなわない革命軍の創設など、所詮は蟷螂の斧でしかなく、武装蜂起ということも、なにも軍事的に既成の軍隊に勝利することをめざすものでなく、その断乎たる決意と倫理的高さによって既成軍隊に心理的動揺をあたえる、ひとつの象徴行為でしかない。[11]

当時も私は、たしかに「こんなもの」は「軍事的にナンセンス」であると思っていた。しかし同時に、当時も、そう言い切るのに躊躇いがあった。安丸良夫が指摘していたように、また、竹内芳郎も語ってはいるように、軍事的なナンセンスが「象徴行為」となって「歴史の舞台まわし役」となりかねないかもしれないと思わないでもなかったからである。

ところで、コーリーは、革命の成否を握るのは軍隊の動向であると「力説」していたが、より精確には、「叛乱軍が勝つことができるのは、ただ正規軍が全力を発揮できなくなるような特殊な環境が存在するばあいに限られる」としていた。その特殊な環境とは、とりわけ、叛乱が「民族主義」的性格を帯びること、言いかえるなら、民衆の側にその叛乱に共鳴する民族主義が普及していることである。その典型的なケースは、被抑圧民族の独立革命であり、外国の軍事侵略に対する革命である。[12]では、この点で、当時の日本で、すなわち米国軍事力の支配下にあり被抑圧民族と見なされるかもしれない日本で、そのような愛国と独立の民族主義が成立していたであろうか。ごく一部の左翼を除き、そのように認識されてはいなかったし、例えば沖縄に対する抑圧を、同じ仕方で本土でも民衆が経験するということはなかった。また、ときに軍事産業上の不満が漏れ伝わることはあっても、日本の軍隊は外国軍による抑圧を意に介してはいなかった。[13]要するに、叛乱への共鳴版は成立していなかったのであって、やはり「軍事的にナンセンス」であったとしか言いようがない。

しかし、それでも、文化革命への移行の過程で、一部革命家に責を負わせる形で、暴力革命について考えることすら封印され禁止されるようになってきたことは、現在を見る眼をも失わせてきたとしか思われない。いまでは、安丸良夫や竹内芳郎程度の見方すら、思いつかれもしなくなっており、それはそれで空恐ろしいことである。そこで、ハンナ・アーレント「暴力について」に立ち返っておこう。

世界の終わりと暴力

ハンナ・アーレントは、当時、暴力革命の可能性が考えられるようになった状況について、こう書き出している。

暴力は国際関係においてしだいに疑わしくて確実とはいえない道具になってきたが、国内問題では、とくに革命においては、評判と魅力を獲得するにいたっている。新左翼の強烈なマルクス主義的レトリックは、毛沢東が宣言した「権力は銃身から生じる」というまったく非マルクス主義的な確信の着実な成長とぴったり符合する。たしかにマルクスは歴史における暴力の役割に気がついていたが、しかしこの役割はかれにとっては第二義的なものであった。古い社会の終焉をもたらすのは暴力ではなくて、その社会に内在するもろもろの矛盾なのだ。[14]

しかし、アーレントは、「歴史における暴力の役割」を全否定するわけではない。そもそも考えるべきは、暴力革命が「国内問題」において「評判と魅力」を獲得するにいたったその理由であるからだ。この点について、アーレントは、その「最も明白で最も有力な要因」は、テクノロジーの「進歩」が「破滅」へまっしぐらに進んでいること、そのテクノロジーの破滅的結果を元に戻すことはできなくなっていること、しかも、「戦争に転用できないものは何一つない」ような段階にテクノロジーが到達してしまっていることにあると指摘していく。そして、アーレントは、「いまの新しい世代の方が世界の終わりの日の可能性にはるかに敏感であるのはまったく当然のことである」と指摘していく。

この世代の人びとに、「五〇年後の世界はどうあってほしいか」と「五年後の自分の生活はどのようなものであってほしいか」という二つの簡単な質問をしたら、その答にはまず「もし世界がまだ存在していたら」とか「もしわたしがまだ生きていたら」という文句がついていることが非常に多いだろう。[15]

アーレントによるなら、歴史は進歩しているものの、破滅に向かって進んでいる。そのように未来はすでに決定されている。「この世代の人びと」にとっては、資本主義の終わりを想像するより、世界の終わりを想像するほうが容易いのだ。その世界の終わりとは、当時においては、核戦争に典型的なように、何もかも戦争に転用するテクノロジーがもたらす破滅的結果であり、現在においては、何もかも資本蓄積のために捕獲する資本主義がもたらす破滅的結果である。「この世代の人びと」はそこに敏感であるからこそ、暴力革命に惹かれているのである。しかし、それにしても、それはどうしてなのか。アーレントは、こう書いている。

> ややもすればありがちな誤解に警告を発しておかなければならない。もし歴史を連続的な時系列的な過程という観点から見るならば、そしてそれには進歩が不可避のものであるとするなら、戦争や革命というかたちでの暴力は、ありうべき唯一の中断をなすものとして現れるといえよう。〔……〕もしそれがなかったなら自動的に、それゆえ予言できるかたちで進行していったであろうものを中断することは、たんなる行動（ビヘイヴィア）とは区別されるあらゆる行為（アクション）が果たすべき機能なのである。[16]

状況によっては、とりわけ未来が決まりきっている状況においては、また、絶えず未来の破滅的結果が予言される状況においては、戦争暴力と暴力革命は、それだけが、地獄への道を断ち切り、新しい事態をもたらす唯一の「行為」となる。そのようにアーレントは主張している。ここに引き続き、アーレントは、肯定されるべき権力を暴力から区別する議論を延々と繰り広げているが、しかし、状況によっては、暴力が権力を備えうること、暴力だけが新しいものをもたらす権力となりうることを決して否定しない。[17] とはいえ、アーレントといえども、暴力革命を全肯定するわけではない。アーレントはその批判を、世界の終わりを容易く想像する世代、言いかえるなら、集団的な死を容易く想像する世代が、死を基礎とする政治を求めてしまうところに向けていく。

死は、実際に死に直面する場合であれ、自分が死すべきものであることを自覚する場合であれ、おそらく最も反政治的な経験であろう。死は、われわれが現れの世界から姿を消し、同胞たちの集まりから去っていくことを意味するが、この現れの世界や同胞の集まりこそがあらゆる政治の条件なのである。人間の経験として考えるかぎり、死は見捨てられていて無力であることの極致を示すものである。〔……〕わたしの知るかぎり、死の下の平等や暴力で死が現実化されることを基礎としてできあがった政治体はいまだかつてない。実際にこの原理にもとづいて組織され、それゆえしばしば「兄弟分」であると自称する歴史上見られる決死隊を政治的組織のうちに入れることはまず無理である。しかし、集合的暴力が生み出す強い兄弟愛の情が、暴力のなかから「新人」ともども新しい共同体が立ち上がるという希望を多くの善良な人びとに抱かせたことは、たしかである。生命や肉体の待ったなしの危険という条件においてのみ現実のものとなりうるこの種の兄弟愛ほどはかない人間関係はないという単純な理由からして、この希望は幻想である。[18]

だから、共産主義者の前衛党観も革命軍観も「幻想」である。そうではあるが、アーレントは、「けれども、これは事柄の一つの面にすぎない」と主張していく。[19] ソレルやベルクソンを援用して暴力は生命力の顕れとして肯定されてもきたわけだが、そうであるとして、人間の生命力は、世界に到来して何か新しいことを始めることができるということに存している。そのような行為は、単なる機械的な行動や保存活動を越えて、人間を人間たらしめ政治的存在たらしめる力である。そして、状況によっては、暴力革命がまさにその行為であることはいささかも動かないのである。

暴力を否定する人でさえも、うすうす感じているように、また、実際に経験してきたように、決まりきったかのように見える状況を切断して新たに動かすのは、もとよりそれは多くの場合、不発や失敗に終わるのだが、死をはらむ暴力をめぐる出来事である。それは不幸なこと、原罪に近いことであるが、そのような状況が、国や地域によっては、あるいはむしろ、世界全体にあっては、現に成立してしまっていることは確かなことであり、われわれもまた、この世では、それに相応しい構えをとらなければならないのである。

註

1 『月刊社会党』一九七〇年七月号より。

2 「青年に再び銃をとらせるな」「青年は再び銃をとらない」というスローガンも使用されていた。

3 ハンナ・アーレント『暴力について——共和国の危機』（山田正行訳、みすず書房、二〇〇〇年）一〇九頁。

4 この点で、先進諸国による武器輸出にせよその停止決定にせよ、きわめて恣意的で機会主義的であることを指摘しておかなければならない。先進諸国は少なくとも公式には、外からミャンマーやアフガニスタン、さらにシリアの青年に「銃をとるな」と説教するだけである。

5 近年、ロシア革命史や中国革命史で、さらにベトナム戦争史で、資料公開の進展もあって、革命勢力内部での暴力を「暴く」研究が目立っているが、それらは共通して、それ自体を暴力革命の企てと見なしうる反革命・白色テロのことを不問にしている。講壇的な「価値中立」すら守れていない。

6 安丸良夫『近代化日本の深層』（岩波書店、二〇一三年）二一五頁。

7 同書、二二六頁。

8 同書、二三九-二四〇頁。明治維新の政治理念は、ほとんどイスラム原理主義に類すると言ってもよいだろう。

9 「六十余歳」こそが率先すべきではあろうが、そこはともかく、パレスチナ、シリア、アフガニスタン、ミャンマーなどのことを考えてみよ。あるいは、民主主義や（女性）人権を掲げて革命を輸出する暴力を行使する先進国兵士や、グローバリゼーションに唯一実効的に対抗して暴力を行使する戦士のことを考えてみよ。両者はともに暴力革命家であり、その犠牲者である。

10 大塚英志『「彼女たち」の連合赤軍——サブカルチャーと戦後民主主義』（角川文庫、二〇〇一年）一五頁。

塩見孝也は、暴力的総括の原因について、指輪や化粧に関する「遠山批判」は「後からのコジつけ」にすぎず、二つの党派の「野合の正当化」「新党の正当化」のために反対者を切ったのが真因であると語っている。塩見孝也『赤軍派始末記・改訂版——元議長が語る40年』(彩流社、二〇〇九年)一四八－一四九頁。しかし、その「後からのコジつけ」を許す事態がすでに進行していたことも確かなのである。なお、この論点は、二党派のうち革命左派の民族主義的傾向に関わってもいるが、その路線と暴力的総括はやはり異なる次元のことである。

11 竹内芳郎「解説」(竹内芳郎編『現代革命の思想6 高度資本主義の革命』筑摩書房、一九七二年)五六－五七頁。

12 キャサリン・コーリー『軍隊と革命の技術』(神川信彦・池田清訳、岩波書店、一九六一年)七四頁。一九八九年の東欧革命が基本的に平和裡に進行したのは、ソ連(軍)に対抗する民族主義を基盤として、国防軍が反乱側に回ったのが大きかった。ちなみにコーリーは、ゼネ・ストはそのような叛乱の役割を果たしたことはないし今後も果たしえないと見ている。「感情に訴える力において、ゼネ・ストは叛乱と同等ではないのである。すなわちゼネ・ストは、伝統を作りださない。それはまた、人びとを英雄的に死にむかわせる大義の感覚を作りださない。なかんずくゼネ・ストは、現代軍隊の戦闘能力に重大な支障を及ぼすような諸条件を作りだすことができないのである」(一一〇頁)。

13 これは、三島由紀夫事件で示されたことでもあった。文化天皇制の共鳴版すら日本軍隊には存在していなかった。

14 ハンナ・アーレント『暴力について——共和国の危機』一〇五頁。

15 同書、一一一頁。

16 同書、一二三－一二四頁。

17 その文脈で、個人の暴力行使も肯定できる場合があることを認めている。「肝心なのは、ある種の環境では暴力——議論や言論の伴わない、また結果の計算をしないで行動すること——が正義の天秤を再び正しい状態にする唯一の方法だということである(ビリー・バッドが自分に不利な偽証をした男を殴り殺したのは、その古典的な例である)」(同書、一五一頁)。

18 同書、一五六－一五七頁。

19 同書、一五七頁。

政治と性　土俗を遠く離れて

長崎 浩

幻想の三つのかたち

「女と子供は党に入るのは遠慮してほしい」（笑）。以前さる対談で私はこんな発言をしたことがある。冗談めかして言っているが、もろに差別発言である。ただ私としては、「アマゾネス軍団に男は入れない」というのと同等のこととして発言したつもりである。背景にあったのが連合赤軍事件、つまり山岳ベースでの同志のリンチ殺害のことだった（対談集『七〇年代を過る』、一九八八）。

それに対談の相手が（叛旗派の）三上治である。叛旗派という新左翼党派は独特の共同体論をもって登場していた。「政治集団の編成は、その媒介項を個体幻想内部での生活思想の相対化に置くとき、構成員相互の生活圏の一部としての日常構成自体に根拠づけができる」（神津陽「叛旗」一〇号、一九七一年六月五日）。要は生活コミューンのようなものだろう。こうした構成の集団が政治の党を名乗るとは、当時ちょっとした驚きを私は感じたものだった。その神津陽がまた書いていた。安保ブントの島成郎が盟友の生田浩二の追悼集で、彼が死ぬまで生田の生活とか家族のことは何も知らなかったと述べている。同志のことをこの程度にしか知らないというのは、神津の集団では考えられない。島の発言にびっくりしたと神津は述べている（『ブンカの傾向と対策』、一九八四）。神津のこの発言を聞いて、今度はまた私の方が驚いてしまう。三日にあげず顔を合わせているような政治の仲間でも、相手の家族などに関係も関心も持たない。安保ブントの世代ではこれが普通のことだったからだ。政治と生活とを使い分けていた、というより何ごとによらず家族ぐるみというのはなじめない。「対幻想」はこの政治世代にとって「思想の課題」たりえない、というわけだった。

そういえば、全共闘世代の手記などを読めば、家族における親との葛藤が大変だったという記述にしばしば出会う。父親が先の大戦の兵士だったという世代である、軋轢が高じれば父親の戦争犯罪を責めることにもなりかねない。「家族帝国主義」との闘いである。これにも驚かされる。対照的に、安保世代は家族との葛藤など問題でないといった顔をして、この問題を言葉に出すことなどは昔も今もしない。

私は世代論から始めてしまったようだが、そういうことではない。吉本隆明の幻想論によれば、先にあげた対幻想（男女・家族）を間に挟んで個体幻想と共同幻想と、幻想つまり観念の三つの位相を区別しなければならない。これらの関係はしばしば相互に「逆立する」ことになるからだ。幻想の三形態のうちで共同幻想と個体幻想との関係は、すぐる一九六八年の叛乱（1968）の底にわだかまって消えない主題であった。「全共闘は人生論で闘争を組織している」、「わたしの敵はわれわれだ」などと、これはまたかつて私自身のテーマだった。日本だけのことではない、フランスの五月について次のような発言も聞かれた。「六八年革命は私が語り始めた最初の革命であった。そしてそのことは革命の概念を根底から変え、同時に私の概念も変えてしまう」（西川長夫）。飽きもせずにごく最近になってまで、私は自分の評論集の副題に「体験と普遍史」と銘打ったばかりである。かつて、個体幻想と共同幻想を関係づけるこの「と」が、叛乱の集団においても両者を強く結合し、かつまた同時に葛藤させていた。ここで繰り返すことはしない。

政治と対幻想

そのことではない。では革命にとって、幻想の三形態のうちで対幻想はどうなるのか。私は相次ぐ二つの世代の間で政治と対幻想との関係がまったく違った様相を呈していたことを示唆したばかりである。むしろ私の政治論は両者の関係そのものを嫌っていた、避けていた。例えば八〇年代に西部邁と対談したときのことだが、そのあとがきに私はこんなことを書いていた。「全共闘運動から連合赤軍のリンチ殺人に至る過程を、暴力が政治と密着するよりもむしろ人間の性（セックス）のあり方とない混ぜになっていく方向だと考えてみる」。暴力とエロスとは民衆の自然（土俗）と深いところでつながっている何かである。「連合赤軍の当事者たちの手記で、ただ一つまぎれもなくたち現れてくるのは、山岳ベースで人間たちの性がいわば土俗に帰っていくときの一つの軋み声のようなものなのである」。ずいぶんと飛躍した言い方であった。そのうえで付け足している。「政治は決意して政治のなかの性に目を閉ざすべき」である。ちょうど、「政治（の思考）が政治のなかの死というあり余るほどの真実に決して目を向けてはならない」、という決意とこれは同等のことなのだと。

ところで、本稿とは別に、私は当時の状況に即して連合赤軍事件を政治的に評価するもう一つの論稿を書いている（『抵抗と絶望の狭間　一九七一から連合赤軍へ』、二〇二一）。事件を党の政治の観点から裁断しておくことが何よりも彼らにたいする責務であり、弔意の表し方だと考えてのことである。幹部と兵士を問わず彼らの上に跳梁し、「何が何だか分からない」ままに彼らを追い立てていたのは党というものだった。前衛党の歴史と理論などで取り押さえることはできない、もっと抽象的な党の観念である。

そこで党へのアプローチとして、私は連合赤軍を左翼反対派セクトの一つとして位置付けるとともに、セクトにおける「革命の独占と孤独」がその内部構成を「罪悪感共同体」（フロイト）にしたのだと考えた。党と革命という「集団の超自我」、つまりは共同幻想が各人の自我を共同体に形成したのだったが、集団内部ではこの超自我が男女の成員を一層の「共産主義化」へと責め立て、それが山岳ベースの閉塞の内で仲間の総括殺人にまで昂じて行った。こんなことをやめるには、共産主義革命の左翼反対派、したがって日本の新左翼セクトという政治的枠組みを根絶して、その呪縛を大衆暴力の巷へと解放するほかはないのだと。

とはいえしかし、連合赤軍事件にたいするこうした歴史的で政治的な評価を済ませたとしても、事件には何かしら曖昧に澱んだ何かが残る。当時も、そして今もそう感じる。「何が何だか分からないうちに」総括殺人をしでかした（小熊英二）。そう思って改めて気づくのは、やはり政治的集団における政治と性というテーマではあるまいか。「嫌っていた」ですますことはできない。本稿はその観点から連合赤軍事件を何とか取り押さえようと試みている。

性の恐怖と抑圧

さて、かつて永田洋子など当事者の手記がいくつか公刊されたときも、この事件の曖昧で不透明なものの印象を消すことができなかった。たとえば、彼らの手記の読後として今も記憶に残るのは、山岳ベースにおける次のような些事なのである。


入山させるにあたって、私は、非公然のための変装として、松本さんに髪を切ってパーマをかけてくるようにいった。彼女は、黒くてまっすぐな長い髪であったが、ちゅうちょすることなく髪を短く切りパーマをかけた。山岳ベースと同様の麦飯の夕食を出すと、これもいやな顔をせずに食べた。

私は、長い髪をちゅうちょせずに切ってパーマをかけたり麦飯をいやな顔をせず食べたことから、彼女は、闘争に必要なことを受け入れることができる人だと思い、山でやっていけるだろうと思った。（永田洋子『十六の墓標』、一九八三）

他の新左翼セクトと比べても、連合赤軍はごく普通の男女と未成年から構成されていた。ことにブント赤軍派との連合以前の革命左派の特徴であり、女性の比率も高い。それが軍事路線に転じて以降、幹部の相次ぐ逮捕と脱落によって弱小化していった。その上での両派の連合であった。女子供と政治経験の浅い者たちからなる素人集団である。夫婦・恋人同士も子連れもいた。だが、山岳ベースはコミューンではない。革命兵士の基地たるべきものであった。そしてそれにしては、右の永田による兵士のリクルートの基準は実際的でありかつ前衛党としては甘い。「山でやっていけるかどうか」。他方で赤軍派は綱領主義のオバケのようなスタイルを特徴としていた。かくて、連合赤軍は山の中で、兵士を共産主義の超自我によって締め上げる必要性も条件もそろった集団であった。

そうであれば、山岳ベースでの若い男女の混在は無意識にも成員の性的欲動を刺激していただろうし、だからまた性への恐怖からこれを抑圧しなければならない。兵士の多くは欲動を知的に昇華する術も持たず、その訓練も受けていない。未成年の者も多い。事件が発覚するや性のスキャンダルのごときがメディアを賑わすことにもなった。永田洋子の先の一文にうかがえるように、女同士のちょっとした性的な絡み合いもあったであろう。「美人とか頭がいいとかいうことはブルジョア性に傾きやすく、反革命につながる」と永田は述べたことがある。（以下、小熊英二

『1968』下巻、二〇〇九)。永田はまた二人の男女がキスしているのを目撃して、「新党結成の場を侮辱した」として皆をたたき起こし、「総括」として全員に両名を殴るよう要求したという。「総括」の理由などどうでもよかった」と小熊英二はこの場面で評しているが、「どうでもよかった」どころではなかったろう。前衛的な世界思想もなんのその、性が性としていわば土俗の自然に帰り、その自然性が「新党結成の場」を脅かしている。事件の後に週刊誌などは「極限状態でのフリーセックス集団における男女関係のもつれがリンチ殺人の原因だ」などと取りざたするのを避けることはできない。エロとアカとがペアのごとくに取りざたされてしまうのもこの時である。「アカの新聞がなかったのでエロ新聞を買ってきた」、昭和戦前の駅頭でこんな会話が記録されている。民衆の内でかように交換可能なエロとアカとの根底に、土俗的な性の欲動がわだかまっていただろう。

米国の1968は無数のコミューンを生みだした。一九七一年時点で各種コミューンの数約三〇〇〇、参加人員三〇〇万人という数字がある(越智道雄『アメリカ「60年代」への旅』、一九八八)。七〇年代になれば「性の解放」の時代だ。コミューンの内には性と暴力(リンチ)のスキャンダルを露呈したものも少なくないはずだ。山岳ベースと違い欲動の大衆的放埒沙汰があり、かつその抑圧の機構が働いていたであろう。しばしば犯罪として発覚したことは、例えばチャールス・マンソンのコミューン、「ザ・ファミリー」に見られるとおりである(マンソンは映画監督ポランスキーの妻、シャロン・テートを殺害した)。「性と暴力」とは国の成り立ちからして米国の特異性だと言われるが、これはまた国内の人種的で政治的な対立の激化、つまりは米国の1968をベースとして発生したことに違いない。（その歴史と現在を網羅的に跡付けたはずの『性と暴力のアメリカ』〔渡辺浩、二〇〇六〕はなぜかコミューンを完全に無視している。）

性差の消し方

革命を超自我とする集団では、性にたいする恐怖と抑圧の必要は、一方では禁欲主義の司祭専制を生み出すだろうが、他方では、しばしば性差そのものを抹消する試みとして現れる。森恒夫が永田を前にして言ったという。「生理のときの出血なんか気持ち悪いじゃん」、「女はなんでブラジャーやガードルをするんや。あんなもん必要ないじゃないか」などと（小熊、前掲書）。女性活動家を女として認めようとしなかったとは植垣康博の証言である。「男のようになりふりかまわないこと、それが、嫌われないための条件だと考えていたのです」と供述する女性もいる。女であることがそもそも罪悪感のもとになる、女性の性を抹消しなければならない。赤軍派の女たちでもこんな呪縛を免れていたのは、「私はミーハーだから」と公言する重信房子くらいのものであったかもしれない（島崎今日子『だからここにいる　今日を生きる女たち』、二〇二一）。

もともと、コミューン的な集団では性的関係がトラブルのもとになりやすい。そのためか、誰それの性のあれこれを公開の議論の場に持ち出して、怒号と笑いの種にして性差をシャッフルすることがおこなわれる。私はトム・ジョーンズの「人民寺院」を調べたときに少々驚いたのだが、連合赤軍の「共産主義化」どころか、「一人ひとりが神となる社会主義」をジョーンズは呼号していた（以下、私の『共同体の救済と病理』、二〇一一）。コミューンはもともと各人の既往と差異性を解体して万人平等を希求する。往々にして結果は「万人は一人のために」となるにしてもである。人民寺院ではジョーンズは公私の場で、名指しであけすけに個人攻撃を連発した。幹部にたいしても例外ではない。指導的メンバーであればなおのこと公開の場で面目丸つぶれにされ、総括が要求された。しかも、ジョーンズの攻撃は一見支離滅裂、その場限り平気で正反対の非難を投げかけた。こうしてジョーンズの言動は集団成員を挑発し、ゆさぶりをかけ混乱に陥れ、相互に対立させては集団（つまりはジョーンズ）の共同性を固める。これは公開の教育であり訓練であった。

同じことが性についても行われた。この場合集団を禁欲主義の戒律で固めるのが宗教的カルトでは普通のことだったろう。もともと、「私と同じように、できれば結婚しない方がいい」とパウロは信徒たちに勧めていた。ところが人民寺院では逆だ。それればかりか、ジョーンズ自身が妻との関係だけでなく信徒の女たちとの情事の数々をあけすけに話題にした。信徒どうしでも同様だった。公衆の面前で、誰それの性生活が話題にされ露骨に批判され、また冗談の種にされた。ホモ、レズ、変態、男根野郎、差別主義者、ナルシストなどレッテルを張っては、信者たちは集会でとことんののしり合った。若いペアにとってはたまったものではないが、コミューンでもっとも人気の集会がこの手のものであったという。性の関係を公然化したうえで不断に混乱させ、矛盾に陥れ、このようにして性という「壁をぶち壊す」ことそのことが、ジョーンズの無意識の目論見だったように見える。各人の思想や心ばかりか、性にまで手を突っ込んでかき回すのである。そして恐らくは、本来極私的出来事であるはずの各人の死まで集団化した。人民寺院は一九七八年、九一四人におよぶ「革命的自殺」を以て幕を閉じた。

性の公開と性欲動のシャッフルという試みは左翼にも見られたことである。フロイトの診療所の副所長であり同時にドイツ共産党員だったライヒのことだ（『ファシズムの大衆心理』、一九三三）。労働者たちは各自の性の願望と抑圧とをあけすけに話題にする集会を持ち、大笑いと冗談が飛び交う喧騒の内に集会は進行するのだという。ライヒは共産党の下に「プロレタリア性政策全国同盟」の運動を始めており（一九三一年）、この集会もその一場面なのだろう。ライヒはまたコンドームの扱い方など、こまごまとした啓発までしている。もとより、労働者階級における性の解放を意図した運動であったろう。だが、フロイトの直弟子のライヒである。抑圧された性欲動の不用意な解禁が何をもたらすのか、気付かなかったはずはない。性的抑圧からの爆発的な解放とも見ることのできる大衆の叛乱が、すでに警告していることではないか。ライヒは国際精神分析協会から、ついでドイツ共産党から相次いで除名された。ファシズム下の状況をおもん計っての除名であったろうが、ライヒはいざ知らず、かように政治と性の距離は遠い。「逆立する」。大衆の性的エネルギーの爆発、それゆえの大衆の放埓沙汰に直面して、政治が自らを防衛する場所が党というものである。

共同体の超自我

フロイトはその晩年に、精神分析治療の基礎となる個体の心理学を社会にまで拡張する必要に迫られた。ナチスとロシアの革命の時代である。前者ナチスについては、当時ウイーンにいたフロイトは表だって論評することは禁句であったろうが、後者を念頭においてこんな言い方をしている。

人間に文化的な仕事を強制しなければならないのと同じように、大衆を少数者の支配にしたがわせるようにしなければならない。大衆は怠惰で、洞察力に欠けた生き物だからだ。そして大衆は欲動を放棄したがらず、欲動を放棄する必要性を議論で説得することはできない。誰もがたがいに放埒にしたい放題をするばかりである。大衆が指導者として手本とする個人の影響なしでは、大衆を労働に従事させることも、欲動を放棄させることもできない。文化は大衆の労働と、欲動の放棄によって初めて成立するのである。(『幻想の未来』一九二七、〔『幻想の未来/文化への不満』中山元訳〕一六頁)

さらに言う、

しかし同時にまた、文化の本質には、いかなる改革の試みも失敗させてしまう困難な問題が伴うものだという考え方にも慣れておくべきだろう。たとえば欲動が制約されることにはすでに覚悟ができているものの、「大衆心理の悲惨」とでも呼ぶべき事態がもたらす危険が差し迫ったものとなっているからである。(『文化への不満』一九三〇、同二三一頁)

明らかにロシアの、そしてナチスの革命が大衆の欲動を爆発的に開放してしまい、大衆の埒沙汰を引き起こしている。「現在ヨーロッパとアジアの広大な土地ではじめられている巨大な文化的実験」である。これこそが現時点での文化の危機なのだとフロイトは見なしている。欲動の抑圧と労働とから成り立っている西洋キリスト教文化が、大衆の危険性に直面している。本来大衆を指導し「調教」すべき指導者がかえって大衆に迎合してしまう危険がある。これが時代の危機にたいするフロイトの、いささか無遠慮な応答であった。

時代のこうした危機意識に急かされてフロイトが構想したのが「集団の超自我」であり、その役割を大衆の調教師たるべき指導者に見立てたのだった。そもそも超自我とは何か。ここで後期フロイトの心的構造論をそのまま大衆の集団に当てはめるとする。大衆という動物の自然(欲動)は文化によって抑圧されても、しかし消滅することはなく内部に取り込まれて、集団心理の奥底に無意識として潜んでいる。エスである。エスはほって置けば暴走して外界と衝突して破滅する。エスと外界すなわち文化との関係を調整し、集団の行動を決定するエスの一部が集団の自我である。自我において集団の自己同一性が確保されるとはいえ、エスの一部として自我はエスからエネルギーを借りねばならない。暴れ馬を制御してうまく目的地に走らせねばならないが、自我は馬の背にまたがって馬を制御するほかはない。こうした一切が大衆集団の指導者の背に負わされている。

そこで超自我である。集団の超自我はエスの要求など見向きもせず、ひたすら自我を監視し行動の規範を押し付けてくる。集団は欲動充足をあきらめて超自我の法廷に随うべく務めねばならない。超自我は哀れな自我をしかりつけ、卑しめ虐待し重い処罰を覚悟させる。超自我の法廷から良心の呼び声が聞こえ、道徳性が生まれる。逆に、良心の呵責が集団の各人に罪悪感を生み、罪悪感が集団を結束させる。危機における前衛的集団がこれであり、まことに厄介な存在である。そこに集団の防衛機制として強迫神経症の発症は免れがたい。

そこで、集団の超自我としての指導者である。大衆が自らの超自我を一人の指導者に外化するとすれば、そこに集団が形成される。「心理学的な集団とは、個人の集まりであるが、これらの個人はある同一人物をみずからの超自我の内に導入し、その共通性に基づいて同一化した人々」のことだ（『文化への不満』、一六〇頁）。一人の指導者を民族にまで拡張して、「共同体の超自我」を形成するとも言われている（同二八三頁）。心理学を集団にまで拡張するフロイトの集団論がこれだとして、いささか安直で俗受けする当てはめに見える。ただここでは連合赤軍事件のことだ。

山の中に追い詰められた大衆の小集団では、森と永田が指導者だった。これでは役不足だとしても、彼らは明らかに革命と党という超自我を背にしていたのであり、党が跳梁して党員各人の自我を締め付けていた。外界に打って出て大衆の暴力へと自己を開く展望はない。一人の指導者の専制というより指導者をも巻き込んで、共同体の超自我がひたすら各人の自我を締め付けた。

共産主義化の未達成という罪悪感のもとに相互の自己処罰に悪無限的にはまってしまった。
だが、これがなぜ政治と性の問題なのか。フロイトの可能性をもう少し先まで追っていきたい。

文化による性欲動の抑圧

ここでいきなり後期フロイトの欲動論から始めても許されるだろうか。人間の本能的欲動としてエロス（性活動）と破壊（暴力）の欲動がある。外界の現実を前にした両者の力動的関係から、幼児以来の個人心理学のみならず、大衆の集団的ビヘイビアまでの解剖ができる。フロイトは実は両欲動をそれぞれ生と死の欲動としていたはずであるが、前者はともかくとして、死の欲動がなぜ破壊欲動なのか。「死の欲動の主な代表者」が破壊欲動だともいわれる（同二四三頁）。実のところ私にはこの言い換えの理屈がよく呑み込めていない。死の欲動とはもともと「原初の無機的な状態へ戻ろうとする欲動」、胎児の涅槃状態に帰る欲望ではなかったか。それはともかくとして以下では、欲動論としてはエロスと破壊の二元論一本からスタートすることをことわっておきたい。フロイトは時にこの欲望の故郷を思い浮かべて、厳しい現状と対比することがあった。

文明化された共同体が、こうした愛し合うカップルで構成されていて、それぞれのカップルがリビドーを満足させながら、労働と利害の共同性に基づく連合体を形成しているという状態は、すぐに想像することができる。こうした共同体であれば、文化が人間の性的な活動からエネルギーを奪う必要はないだろう。しかしこうした理想的な状態は存在していないし、これまで一度も存在したことはなかったのである。（同二一五頁）

同時期にD・H・ロレンスが思い描いたようなユートピアである。だが、文化とりわけ西洋キリスト教文化がエロスのエネルギー（リビドー）を奪い取り抑圧すべく形成された。性欲は性器に限定され愛に置き換えられ、一夫一婦制の家族制度が形成された。対応して女は家族と性生活、男は昇華だというフロイトの差別発言が出る（同二〇五頁）。他方では、労働である。マルクーゼの口癖ではその労働が現に疎外されており、協働という若いマルクスの故郷は失われている。つづめて言えば「人間は人間にとって狼だ」という現実、つまりは攻撃欲動が引き出され、かつこれも文化が抑圧して昇華させねばならない。共産主義者の主張する私有財産制の廃止とて攻撃欲動をなしにはできないと、フロイトはわざわざことわりを入れている（同二二五頁）。

かくて、エロスと労働の共同体の幸福は、かつても存在したことはなかったし今後とてありえない。ことにエロスの欲動こそ文化による抑圧のターゲットであり、そこに罪悪感と良心の声が喚起される。しかしそうだとしても、この共同体の幸福への願望がそのあまりの遠さゆえにかえって切迫した強度で、大衆の無意識の身体的欲求としてわだかまっているとしたらどうか。実際、道徳的・性的反抗が政治的反抗と一つになっているのが、米国におけるかの１９６８叛乱ではないか。これがマルクーゼのアジテーションであったろう。（『生と死の衝動』（原題：精神分析と政治〔清水多吉・片岡啓治訳〕、一九六九）。米国だけのことではないのだ。かつてフロイトが危惧した「大衆心理の悲惨」という文化への不満の暴発が、西洋文化圏のみならず現代社会でおしなべて汎世界化している。大衆の叛乱である。

それに、マルクーゼに言わせれば、フロイトの時代から社会は大いに変わっている。家族の権威は低下し、その分父親にたいするエディプス・コンプレックスの克服はより容易になっている。だから強迫神経症としての宗教も権威を低下し、支配は技術化して社会は管理集団化している。大衆デモクラシーの下で組織された労働者階級は反抗の圏外にいる。他方では、オートメーションなどの技術革新が疎外された労働からの解放を展望させる。エロスの抑圧と労働の疎外に抗する大衆の運動が、その現実的根拠をますます確かなものにしているのだ。

エロスの抽象化

けれども、マルクーゼが指摘した通りに、高度工業社会における道徳的・性的叛乱がエロスのユートピアを幻視したとしても、これが性と労働の共同体を土俗的な親しさで呼び覚ましているかと言えば、それは違う。高度工業社会なればこそ、物象化された第二の自然がこの社会を覆っている。フロイトはエロスと労働の共同体を不可能なユートピアとして思い描いたことがあった。性が土俗に帰るといった言い方を私もした。だが、文化によって疎外された性と労働の在り方を、その本来の自然と人間に返すことはありえない。太古からの生（なま）の自然と人間とを第一の自然とすれば、第二の自然たるこの人工の社会では本然の自然（天然）への回帰といってもロマン派的な夢想にしかなりはしない。疎外は極まっている。労働であれ性であれ疎外以前の「本来の在り方」を想定して何になろうか。

フロイトはリビドーをあくまで人間の生物学的自然性に求めたのだと言われるが、欲動がこの世で生物学にまで達することができるなどと思ってはいない。文化への不満がいわゆる「大衆心理の悲惨」として噴出することを想定しても、そこに噴出するのは生物学ではなく、はるかに抽象的な自然への大衆的飢餓感であったろう。私ならこれを大衆叛乱における第ゼロの自然の氾濫、自然のゼロ度への回帰願望と呼ぶだろう。第ゼロの自然への飢餓は昇華などの対極にある大衆の身体を通じて噴出する。身体は今や、第二の自然に追い詰められた生物学的自然の最後の拠点であり、かつ身体もまたそのゼロ度としてあるしかない。エロスへの飢餓がこれを象徴する。大衆のエロスは今、あられもなくむき出しでありかつ極度に抽象化された欲動としてあるほかない。連合赤軍事件が週刊誌の「エロとアカ」の劣情をそそったとしても、それは山岳ベースでありえたかもしれないスキャンダルを遠く離れて、ただ性の抽象化のレベルで生起したことだったと思う。

コミューンないし山岳ベースでの性差の抹殺の試みについては先に触れた。これがまずは性の社会的差異を抹消する努力だとして、むろん身体を殺すことはできない以上、身体を通じて立ち昇る性そのものをなしにはできない。とはいえ、性そのものといってもこれはもう土俗の自然性に立ち返ることなどとは見なせない。性もまた抽象的な観念となる。禁欲主義の戒律とともに性差の抹殺が無益なのも、性への恐怖が社会的でも生物的ですらなく、はるかに抽象的な禁忌を意味していたからであろう。繰り返すが、今や事態はのびのびとしたエロスと協働の共同体から遠く、それでいて共同体へのユートピアは肌えを擦過するほどに親しい幻影なのである。

隔絶し拮抗する政治と性

山岳ベースでは共産主義者同盟赤軍派の綱領主義のオバケと、「髪を切って麦飯を食べる」という永田洋子らの些事とが同居していた。ここで軋み声を立てやがてリンチ殺人を引き起こすに至るのも、たんに共同体の超自我による総括要求のせいではあるまい。個々人の内に「髪を切る」ことを通じて立ち上ってくる何か別の力がある。それこそ「何が何だかわからないうちに」リンチが止まらない。この非知の感覚を無意識にも理知のレベルにずらすのが言葉というものであったろうが、山岳ベースの兵士たちは非知を理知に差換える経験も訓練も経ていない。大義も性も言語にすることができない。

ここのところでかつて印象的だったのは、事件にちなんだ大江健三郎の小説『河馬に嚙まれる』である。連合赤軍の「下級戦士」だった十代の主人公は、専ら山小屋の糞便の処理装置に工夫と創意を発揮したのだと描かれている。綱領とも総括とも無縁に、農民出の兵士が兵舎の生活に創意と工夫を発揮する。疎外されざる労働だ。同じことが山岳ベースの性の在り方であったらどんなに救いだったろう。非知は非知として、しかも今や伝来の土俗からすら断ち切られて、それ自体が一つの反政治的観念であるしかない。フロイトやロレンスが思い描いたエロスのユート

ピア、「恋人たちの共同体」は、今では例えばこんな面倒な語られ方をしなければならないのである。つまり、

黄昏から夜明けの薄明にいたる時間のあいだ、二人の人間が、ほかにいかなる存在理由をももたず、ただ互いにおのれをことごとく欠けることなく絶対的にさらし合う、それも彼らの目にではなく私たちの目に彼らの共通の孤独を出頭させるためにさらし合うこの空間の中に、そうだ、どうして求めずにいることができようか、見出さずにいられようか、「否定的共同体、共同体をもたない人びとの共同体」を。（M・ブランショ『明かしえぬ共同体』一九八三、〈西谷修訳〉一〇四頁）

私は本稿の冒頭の差別発言を実際家のように語っていた。だが、政治の観念もまた性からはるか遠く、あたかもこれに拮抗するかのように、抽象的な反エロスへ方へ追い込まれているのである。

「十五少年漂流記」から「蠅の王」へ[1]

市田良彦

記憶の糸を辿れば、大学生になる前のどこかの時点で思ったことがある。「大菩薩峠」は少年たちの胸踊る冒険譚であったのに、「連合赤軍」はそれをあっという間に彼らの邪悪な抗争劇に変えてしまった。無人島における民主国家建設の夢物語が、事実上密室にほかならない孤島での内ゲバ・ホラー小説に反転してしまった。そう思ったのはしかし、死体を掘り起こした後の穴の写真を見たときではなかった。死体がどう折り重なっていたかを示す白い粉のせいではなかった。すでに何年か過ぎた頃だったはずである。「あさま山荘」（一九七二年二月）のときにはまだ「漂流記」は続いていたのだ。惨劇を知ってもなお。私は当時十四歳だったはずである。学校から帰宅してもまだ続いていた事件のテレビ中継が、知識としては知っていた峠の「福ちゃん荘」（一九六九年）から、凍てつく山荘と巨大な鉄球の映像にまで続く時間を、事後的に「二年間の休暇」

にしたのだと思う。なんという冒険、なんという本気。結末が陰惨であっても、それこそがドラマのリアリティを支え、赤軍兵士の物語を現代のドラマたりえる水準に引き上げていたように思う。要するに、こちらも子供だったのである。映画『イージーライダー』(一九六九)と大差はなかった。これも唐突に訪れる悲惨な結末が少年の心にずしりと響いた。

「蝿の王」は後から、眠りから醒めたときにやってきた。醒めていくプロセスについてはぼんやりした記憶しかないものの、「机竜之助」が「豚の頭」に変身した、とあるとき独りごちたことをよく覚えている。高校生のときであった。森恒夫は私が通う学校の卒業生であり、教師の中には彼を教えた者もいて、授業でそのことに触れたのである。どんな生徒であったかについては語らなかった。ただ事実だけを知らせ、それとの関連で生徒手帳に記されていた「生徒の政治活動を禁じる」という条項は廃止が検討されていると告げた。淡々と。『ソクラテスの弁明』を解説する授業の途中で。「おまえらは豚の頭にたかる蝿か?」と思った。「おまえら」とはその教師だけのことではなく、職員会議で校則について議論している教師全員と、いま教室でなんの反応も見せる様子もなく森恒夫の名前を聞いている自分たちを指していた。彼は「蝿の王」であり、事後の時間に生きる私たちはそこにたかる「蝿」であった。語のニュアンスからすればカタカナ書きの、どこか小馬鹿にした笑いをかもす「ハエ」であったかもしれない。いまさら誰が「政治活動」なんかするかよ、とも同時に思っていたからである。

「ハエ」に堕すことへの抵抗。私を「政治活動」に足を踏み入れさせた気分の中には確実にそれがあった。ここで言う「政治活動」もしかし一般名詞ではなく、少年たちに禁じられ、彼らにも腐臭を放つようになっていた特定の「生」を指す歴史的固有名詞である。「王」についてもはや語らず、苦笑いか嘲笑でもってその名を囲む沈黙の空間が、私には「王」の放つ腐臭そのものであった。「豚の頭」は死体なのだから何も語らないはずなのに、「蝿の王」が少年に語りかける要するに幻聴が、周囲には溢れているように感じていた。くさい、たまらなくくさい。それをふり払うためにはどうすればいいのか？　後に悟ったのであるが、私は「豚の頭」を投げ捨て腐臭の元をハエたちに返すこと、腐臭から解放されることを願っていたのだ。そう思い知らせてくれたのは、言うまでもなく（?）遠藤ミチロウであった。彼に送った拍手喝采、いや、彼に向かって突き上げた拳が、私に自分がなにをしたかったのかを教えてくれた。「これだ！」と。そのときようやく私は森恒夫の名前から解放されたような気がする。すでに「政治活動」する徒党の長の座からは降りていたのだが。[2]

「蝿の王」への抵抗が可能だと思ったのには、森とは、また永田洋子とも、まったく違うタイプの兵士の存在を知ったことが与っている。私にはこの発見が大きかった。兵士の名前は上野勝輝。「大菩薩峠」で捕まった五十三人の一人であり、彼が東京拘置所の中で書きあげ、その後出版された『英雄兵士の物語』[3]が、私に対し腐臭どころか清々しい風を運んでくれたのである。この人はまだ『十五少年漂流記』を続けている！　『蝿の王』が漂流の行末である必要はまったくないし、連合赤軍の後に物語を転倒させることは可能だ！　私は今もまだ上野のこの小冊子を捨てていない。彼がそれを書いた時点では、連合赤軍による同志殺しは明るみになっていなかったのだが、すでに「反米愛国病患者を治療する」などと書いている。京浜安保共闘と「赤軍派の一部」に浸透していた毛沢東主義をクソ味噌に貶している。驚いたのはしかし、そんな路線問題に絡んでのことではない（論争的文脈における明るい尊大さには仰天したが）。事件発覚後に書かれた「あとがき」（一九七二年四月一〇日）にこうあったのである。「文中、自供問題などで、外の赤軍を信用してよいなどと言っていると思う。これは、連合赤軍の諸事件によって、事実によってウソである事となった。申しわけないと思っている」。それだけ。同志殺しの大罪をどう「引き受ける」とかの重苦しい話はまるでない。内省の「な」の字も感じられない。別の小冊子（これは紛失してしまった）では、連合赤軍の何が間違っていたかというと、要するに「アメリカ・インディアンを見習わなかったのが悪い」と書いてあった。我々は武装蜂起を試みる軍隊なのだから、脱落者が出るのもいわば当たり前、行動への参加を決める個々のステップで「ほんとうに起つ勇気のある者」を選別する儀式——焚き火を囲む全員が座って歌う中、志願者は立ち上がって踊る——を行ない、戦線離脱を自由に認めればよいのだ、と。

『英雄兵士の物語』の副題は「国家論の発展のために」である。一九七一年一一月の日付のある「序文」にはこうある。「これは単なる物語ではない。マルクス・レーニン主義の国家論を過渡期世界において発展させるための創造的意欲に燃えた歴史の概説である」。その中身は今西錦司のホミニゼーション理論と最新の「ブッシュマン」研究（田中二郎）にもとづく壮大な人類史であり、エンゲルスの『家族・私有財産・国家の起源』に取って代わろうとする野心を隠さない。そういう「学術」知によって、銀行強盗（赤軍派のM作戦）を位置付けていたりする。ブルジョワ的所有権の否定云々。私はレヴィ＝ストロースに触れるよりも先に上野の本によって人類学なるものを知った。何より文章が上手い。初学者にも読ませる。塩見孝也の山田盛太郎風擬古文体とはまったく違って明晰である。同書を発見したのは大学一年の時であったか。今だから言えるが、ピエール・クラストルの『国家に抗する社会』に比肩する書物ではないのか。

それよりも早く、高校生のときに大菩薩峠事件の公判冒頭陳述集『蜂起貫徹戦争勝利』[4]は「読んで」いた(「」はとうてい取れない)。公判時にはまだ「あさま山荘」事件は起きておらず、上野は「我々は武装蜂起しようとしたし、今後もする」と題された陳述テキストを寄せている。私がその後一種の手本とするようになった文書である。しかし中身とは別に私を驚かせるものが同書にはあった。発行が「京都大学出版会」、その住所が「京都大学構内学生部教養掛気付」。私はこれで京都大学に本気で入りたいと思ったものだ。赤軍派への憧れではなく、京都大学という名前が一挙にワンダーランドのように響くようになったのだ。「蝿の王」はさておき、一体、何が待ち受けているのだろう⁇　学術と銀行強盗を上野が結び付ける少し前、私には「京都大学出版会」[5]がすでに二つを制度的に、つまり実体として、合体させていたのである。

上野勝輝は医学部の学生であったから、出所後順当に(?)医者になった。養子に入ったのか、苗字を変えそれなりの大病院の院長になった。それでも七九年のベトナム・カンボジア戦争のときには、断固ベトナムを支持せよ!というビラを一人で大学に撒きに来ていた。後輩たちのオルグに地下室にまで来た。その後は近代医学に見切りをつけインドの伝統医学「アーユルヴェーダ」の数少ない専門医となったから、彼の「少年漂流記」ないし「英雄兵士の物語」は終わることなく続いているのかもしれない。なるほど、「蝿の王」の転倒は可能だと彼は実証し続けているのかもしれない。インドを経由して未開の原始共産社会にまで長征する冒険譚への転倒。

けれども、連合赤軍事件から五〇年を前に本書は編まれるのであるから、再度あえて問うべき責任が本稿執筆を引き受けた私にはあるかもしれない。上野勝輝のような人もいたのに（私にはまた別の意味で八木健彦——畏敬ゆえにあえて実名を記す——のような人もいたのに）、どうして森恒夫は「蝿の王」になったのか。「福ちゃん荘」で捕まらなかったという巡り合わせ、指導者になった彼のそもそもの資質（それも巡り合わせでなくてなんであろう）、愛国主義者との連合という無理を強いた状況（これこそ巡り合わせだ）、等々を云々するつもりは毛頭ない。そんな仕事は生き残りの当事者たちに任せたい。また、別党派であったのに事件に関する当事者性を深く引き受け、哲学的な内省へと突き進んだ笠井潔（『テロルの現象学』[6]）ほどの同時代性と誠実さを私は持たない。当時少年だった私にはそもそも持てない。

今もなお肯定的な輝きを私に見せる上野勝輝の仕事の質を否定せず、まっとうに受け継ぐ——なにか本質的なものを真似る、ということだ——という観点から、私としては言いたい。『英雄兵士の物語』には、というかそれが代表、表現しようとしていた「理論」には、やはり短絡と欠落がある。「ブルジョワジー諸君‼　君たちの独裁を暴力で死刑執行する」と冒頭陳述で高らかに述べた他の二名の兵士の宣言にも。その短絡と欠落があるかぎり、「蝿の王」が出現するのは必然であり、何度でも蘇るだろう。兵士諸君、君たちは国家以前に「権力」がなかったと思っているのか？　上野同志、君が赤軍兵士に擬える、ローマ帝国に辺境から侵入した蛮族は国家に抗する英雄たちだったのか？　国家と権力の間には何もないと想定する「理論」。そう想定して国家の発生を理論的言説で把捉しようと必死になる「創造的意欲」は、私には消えた「権力」へのノスタルジーに突き動かされているとしか思えない。誰かに「死刑執行する」と言い渡せば、それで即「死刑の執行」になった「権力」、言葉と行為を無媒介に一致させていた「権力」へのノスタルジーである。そんな「権力」があったこと、なおありえることを諸君はよく知っているではないか。「唯銃主義」と言ったのだから。死刑にするよ、と脅して実際に死んで欲しかったのだから。「主義」の言葉と「銃」という物の一致を、諸君は「史的唯物論」によって正当化していた。歴史的に、そんな「権力」は確かにあったろう。[7]笏丈を振るだけで人が死ぬ「王」は現に存在した。主権者 souverain という近代的に響く語も彼らに由来する。至高なる souverain 我らの王。私には笠井潔のように連合赤軍は「観念の自立」を暴走させたとは思えない。彼らは文字が王家の物であり財であった太古の「権力」に憧れていたようにしか思えない。

ギリシャ都市国家群よりも先に、ヒッタイト人、アッシリア人たちのバビロニア帝国があった。「古代史ノート」のエンゲルスが国家成立期に位置付け、上野もそれを踏襲したホメロス時代のギリシャは、帝国がすでに消滅していたからこその「英雄時代」であった。そこでの神ゼウスは死んだ至高者の化身であったろう。神々の一定区別される諸権能は、帝国の王と官僚たちから横滑りに受け継いだものだったろう。死んだ至高者はもはや語らない。彼らを神格化して怖れるのは、幻聴を聞くのは、生きている者たちである。

生前の森恒夫は至高者であったと言うべきである。あるいは至高者——すでに獄中にあった塩見議長?——に仕える司祭であった、と。赤軍兵士に生まれ変わる転生の儀式——「総括」と呼ばれた——を司る彼の言葉は、けっして命令する言葉ではなかった。命令であったなら、つまり権力者や上官の、それに従うことがあらかじめ規則になっている言葉であったなら、逆らうこともありえたはずである。規則は承知しているが、その命令はおかしいだろう、なんのために規則が設けられているかの規範に照らせば合理性を欠くだろう、と言えたはずである。総括しよう、生まれ変わろう、という言葉は兵士たちが山にいる理由そのものである。山の中でそれ以上の審級はない規範であった。森は彼らにただ聞いただけだ。君は何をしにここへ来たのか、何のためにここにいるのか。答えは彼らからやってくる。軍事訓練のため、兵士に生まれ変わるため。ならばそれを皆で助けよう。皆で生まれ変わろう。試練に身を晒そう。その途中で死ぬのは敗北である。死ぬまで殴って死なない、それが兵士たることの証明である。森の言葉は、無実の証明に断崖から飛び降りてみよ、と判決を下す王=裁判官の笏丈にほかならない。その判決も先立つ詰問の中にすでに答えとしてあったものにすぎない。すなわち真にして正義である言葉。ゆえに即自的に「銃」であるはずの言葉。「総括」はただの司法手続きである。軍事訓練の司法的反復である。それは、純然たる王——笏丈を振るのに何の言葉も必要としなかった王——の君臨する体制では流石にもうなかったかもしれない。それでも「総括」とは旧体制の「言語=行為」という等式を、その「=」に向かう「試練」に変えただけの体制であったろう。その「試練」も「=」がすでにあることを前提に成立していたろう。国家と国家の無との間に何の有も認めなければ、その「間の無」には「試練」という形式で「言語=行為」が忍び込む。実際、ホメロスの英雄たちはゼウスの雷霆に身を晒す結果になるかもしれない宣誓の儀式――まさに試練だ――を「体制」にしていたではないか。山に来ること自体が赤軍兵士にとっては宣誓の儀式であったろう。指導者森恒夫はそれを兵士に思い出させたにすぎない。

山の中の森恒夫はすでに一度転生を遂げた人であった。他の兵士との違いはそこにある。彼はかつて戦線から逃亡したことのある人、棄教してなお復帰を許された改悛者であった。彼だけが初期キリスト教信者たちの考え方に気づいていたように思われる。改悛者身分は終わらないのである。[8] 転生とは真理への復帰であるだろうが、一度「真なる言葉」の効力を否認した人間に「死」以外の結末を与えてしまっては、その許す行為そのものが全能の神への背反になりかねない。だから改悛者は信徒集団の中である意味ずっと死んでいなければならなかった。彼にとっては死ぬことが生きることであり続けた。それが「試練」の生である。灰にまみれ、地面をのたうちまわり、私は罪を犯しましたと全身で表明し続けること。礼拝堂の中に入らず、門の外で入っていく仲間に訴え続けること。その姿勢に打たれて一般信徒は彼を崇める。私に罪はないのかと翻って我が身に問う。改悛し転生を望む赤軍兵士は自分の顔を殴った。続けて彼を殴った他の兵士はその試練の援助をしたにすぎない。それを狂気と呼ぶ者は、「権力」とその歴史に対する無知を告白している。ホメロスの時代にもキリスト教の初期にも、ただ形式を異にするだけで、現にあったことなのだ。

とすれば、アメリカ・インディアンに学ぶべきであったと述べた上野勝輝はやはり正しかったように思える。彼は司法手続きを省け、儀式だけにせよ、と主張したのだから。試練のプロセスとしての「言語＝行為」、「真理＝正義」に替えて、ただ一回で済むそれらを一致させる儀式を置けばよかった、と彼は言ったに等しい。門の中に入れるか入れないか、その線引きだけにしておけばよかった、と。ただ上野も、森恒夫が自死において首尾一貫していたとは認めるだろう。そうは書いていなかったが。森はすでに山岳ベースで生きながら死んでいたのであり、自死によってそのことの証明にピリオドを打った。彼は焚き火の周りで、立ち上がって踊ったのである。前段階武装蜂起の最後の一歩を踏み出したのである。捕まってしまった以上、国家権力の暴力を行動によって否定するには自死しかないではないか。自死によって彼は至高者に殉じた。大菩薩以来「英雄兵士」たちによって共有されていたノスタルジーを完成させた。

だから森恒夫は自死によって「蝿の王」になった。至高者として死ぬことにより至高者の生身の言葉を葬り、生き残った人間たちに「蝿の王」として沈黙の言葉を語りはじめた。最初にそれを聞いたのは永田洋子であったろう。「森くん、ずるい」。「蝿の王」はサイモンに言った。「さあ、おまえはほかの子たちの所へ帰るがいい。そして、わたしらは何もかも忘れようじゃないか。おまえのやり方はまったく滑稽なんだよ。下の海岸の所でだって、おまえはやはり私に会うんだよ。それもおまえにはちゃんと分かっているはずだがね。だから逃げようたってだめな話さ！」[9]——〈試練を続けよ、すべてを忘れたかのように自供を拒め、権力を欠いた言葉なぞ無意味と分かってるくせに！　君は僕に会うんだよ、夫婦じゃないか、逃げようたって今さら遅い〉。サイモンを殺したのは仲間たちの間に新たに立ち現れた「権力」である。「獣ヲ殺セ！　喉ヲ切レ！　血ヲ流セ！」永田洋子を殺したのは、既知の国家権力である。〈死刑を執行すると面倒なことになるから、そのまま脳腫瘍でのたれ死んでくれ〉。

生き残った永田洋子は時の経過とともに自ら、また周りからも、証言者の身分を与え―られ―た。万人に向かって「私は～を見た／行った」と語るだけの身分を。一方、至高の言葉が失われると、赤軍派のみならず新左翼全般が「蠅の王」に煽られるようにして「試練」の時代に入っていった。これで終わりではない、と言葉ではなく態度、身振りで示す必要があった。言葉はその身振りの様態でしかなくなった。「反米愛国」？「社会主義的愛国」？スターリンは「九分」誤っていたのか「七分」誤っていたのか？「修正主義」か「社会帝国主義」か「反スタ」か？適度に単語を入れ替える操作ないし行為自体に「極左」であることの内実が賭けられた。さらに、内容よりもゲバ文字のかたち（党派によって微妙に変えられた）とヘルメットの色と、言葉においては文体が問われた。実践の問題としてはどこに、誰に暴力の鉄槌を振り下ろすかのみ。サイモン殺害を主導したジャックの一派――毒々しい戦化粧をはじめた――のように。「何をなすべきか」はそこにこそ答えの場所を見出した。何のための試練か？森が死をもって贖った敗北を、罪と規定する力にもう一度我が身を晒すためである。失敗の、敗北の、間違いの先に待っている雷霆に身を委ねる勇気を「政治活動」家は示す必要に迫られた。もう連赤以前には戻れないのだ。中核派革命軍の兵士の手記が二〇〇八年になってもなお『雲と火の柱』[10]と題されていたことはその象徴的な証左であるだろう。このタイトルは旧約聖書「出エジプト記」に由来する。

しかし試練の英雄時代は長続きしえないし、現に太古でも長続きしなかった。言わば恒常的戦争状態にある中、成員に「知られる真理（知としての真理）」も明文化された「規則にもとづく正義」もない、戦闘における功名を競う仕組みにもっぱら依存する統治体制が長続きするわけがない。トロイア人と戦争しているかぎりでのアカイア人には戦場での「試練」を司法手続きに変換するだけでよかったかもしれないが、ホメロスの『イーリアス』からヘシオドスの『仕事と日』までの時間はほんの少ししかない。戦争が収まると内部で「富」と「権力」をめぐる争いが始まる。至高の言葉の至高性と効力は棚上げにされるほかなく、「正しい言葉」と「真を語る言葉」は二つの異なる言葉になり下がる。それぞれ別の者（司法官と哲学者／科学者）に管理され、かつ、かつての効力をそれ自体としてはもはやもたない言葉に。このときである。都市国家が生まれたのは。正義と真理は分けた上で結び付けよ、と国家の王は言うだろう――「告発者どもの言葉が間違いないものと分かる（＝見る）まで、私はそれをけっして認めない」（『オイディプ王』[11]）。〈結合の管理は私がする〉。私たちのよく知っている体制である。試練の終わった永田洋子に、証言者の身分を与えた体制である。彼女に生きさせることも死なせることも拒んだ体制である。しかし私たちはまた、オイディプスが父を殺したことも、彼が最後は自分の目を潰して自ら玉座を降りたことも知っている。「蝿の王」を殺して世俗的体制を創設した者は、人間の権力からも、「見る」に体現される知からも追放された。彼はどこにも召喚されず、テーバイの町をさまようのみ。ではサイモン殺害を扇動したジャックの命運は？　それは誰も知らない。いや、誰もが知っている。物語の終焉とともに消えるのだ。「蝿の王」の復活を待ちながら。主権者である国民は、至高者の亡霊から解放されたいと本気で思っているのだろうか。連合赤軍の名を「狂気」に閉じ込めている間は、そんな日は来ないだろう。

註

1 『十五少年漂流記』(原題『二年間の休暇』)はジュール・ヴェルヌが一八八八年に発表した冒険小説で、日本では明治期に抄訳が雑誌に掲載され、一九五一年にこの邦題を付した要約版が刊行されてロングセラーとなった。原題を付した全訳が出版されたのは一九六八年である。これに対し『蠅の王』はウィリアム・ゴールディングが一九五四年に発表し、一九六五年には最初の邦訳が集英社『世界文学全集』に収録された。七五年に新潮文庫版が刊行されている。『〜漂流記』は一八世紀の『ロビンソン・クルーソー』に遡る系譜に連なり、『蠅の王』は第二次大戦後、核戦争の記憶を色濃くまとって書かれているが、『〜漂流記』のパロディであることはすぐに分かるよう書かれている。『〜漂流記』では悪戯心と冒険心により自分たちで船を出港させた少年たちが、『蠅の王』では飛行機の不時着(どういう飛行機でなぜ不時着したかは明示されない)により、いずれも無人島に降り立つ。前書では自立生活の経験により成長し、自力で国に帰った少年たちは、後書ではただ救出されるのみで、その後どういう生活を送ったかは示唆さえされない。「蠅の王」とは旧約聖書に登場する悪魔の別名である。作中では豚の死骸頭部に化身し、少年たちの殺し合いに火を付ける。日本ではそれぞれの全訳刊行のタイミングとその近さもあってか、七〇年代には両小説を全共闘運動の帰趨と重ねつつセットで論評する言説があったように記憶する。つまり本稿における私の述懐も、当時どこかで目にした文章の受け売りだったかもしれない。

2 このあたりの事情については別の機会に記したことがある。市田良彦「〈俺が党だ〉——ポスト68年の理論的悲哀」、『情況』、情況出版、二〇一八年一〇月号。

3 上野勝輝『英雄兵士の物語——国家論の発展のために』、査証出版、一九七三年四月二八日刊行。

4 大菩薩冒頭陳述集刊行委員会編、一九七二年二月二〇日刊行。

5 現在の「京都大学学術出版会」とはいちおう別の組織だが、完全に無関係とは言い難い。このあたりについては注2の拙稿を参照されたい。七〇年代前半に崩壊した出版会を誰が「再建」するかが、ある時期の京都大学周辺では密かなヘゲモニー争いのたねであった。

6 現在、補論を付した新版が刊行されている。笠井潔『新版テロルの現象学――観念批判論序説』、作品社、二〇一三年。初版は一九八三年に同社より刊行。その間にちくま学芸文庫にも収録されている(一九九三年)。

7 以下、国家以前の「権力」とそこでの司法手続きとしての「試練」については、ミシェル・フーコーの議論を参考にしている。例えば彼のコレージュ・ド・フランス初年度講義を参照。『ミシェル・フーコー講義集成1〈知への意志〉』、筑摩書房、二〇一四年。しかし彼の議論も古代史学者マルセル・ドゥティエンヌの仕事を下敷きにしている。Marcel Detienne, *Les maître de vérité dans la Grèce archaïque*, Maspero, 1967.(未邦訳)

8 初期キリスト教の「改悛者」についてもフーコーの議論を参照している。例えば次を参照。『悪をなし真実を言う――ルーヴァン講義1981』、河出書房新社、二〇一五年。ここでは連合赤軍のいわゆる「総括」を、改悛者たちの「エクソモロゲーシス」の実践、さらに歴史的にそれを受け継いだ仏教における「五体投地」と重ね合わせている。

9 ウィリアム・ゴールディング『蠅の王』、平井正穂訳、新潮文庫版二四九頁。

10 高井戸政行『雲と火の柱』、子の星、二〇〇八年。同書著者は中核派のいわゆる「関西派」に属し、同書は同派が「中央派」から離脱した直後に刊行された。

11 ここではLoeb Classical Libraryの英語版とMazonによる仏語版から拙訳した。劇中このセリフを語るのは正確には、民衆の代表であるコロスであるが、王であるオイディプスはこの弁に従い犯罪者(=先王ライオスを殺害した人間)の捜査をはじめるので、ここでは彼自身の言葉とみなして問題はない。

山の向こうの「革命戦士」

水越真紀

　若い頃、ずっと「革命」が嫌いだった。まだ大学にも会社にもそういうことを明らかに本気でもなく口にする（決まって女はいなくて）男たちがいて、私は悪意を込めてロマンチストに分類して近寄らないように気をつけていた。「革命」を口走る男のなにがそれほど嫌いだったのか。生活も知らないくせにと、だれよりも本当に生活を知りもしないティーンエージャーは考えていた。逃げ延びられない命の生活も知らないくせにと、そういうものを絶対に見捨てるだろうと確信していた。他方、だからといって連合赤軍の人質事件やリンチ事件が革命だと考えたこともなかった。考えていないというよりも、「革命戦士」は言葉の綾くらいのものだという〝感覚〟しかなかった。まさか私が暮らしているその社会で革命を「本気で」やろうとしている集団があるとは想像したこともなかった。もしかしたら赤軍は革命のための軍隊だったのかと思ったのは、永田洋子や大槻節子の手記を読んでからだ。若松孝二の『実録・連合赤軍』を完成直後に見たときささえ、本気にはしていなかったし、それよりも暴力シーンの凄惨さに感情を弄ばれた感が強かった。そもそもこの事件当時、九歳だった私には、自分とは関わりを見出せない〝大事件〟にすぎず、記憶といえば、リンチ事件が毎日のように報じられる中、教室で「集団リンチ集団リンチ」とみんなはやしたてる集団リンチごっこあそびが起きていたことくらいだ。それはおそらくは大震災後に地震ごっこをする子どもたちと同じで、当時の子どもたちはなんらかの心の傷を負っていたのだと思う。いまおもえば、そのケアは必要だった。いや、その後の政治運動や議論で喪ったものを考えると、ケアが必要だったのは子どもだけではなかったろう。「ごっこ」遊びで自己セラピーをした私の世代（の本来ならそちらに向いても不思議でなかった人びと）は、政治に関心を持たないことの言い訳ができた。なのでそれ以降も私はずっと、日本赤軍も連合赤軍も区別はついていない。三十五歳の時に、ある人がくれた大塚英志の『「彼女たち」の連合赤軍』を読んで初めて「連合」赤軍が赤軍派と革命左派という二つのセクトからなっていたことを知ったくらいだ。そして、事件直後に公表された、フェミニスト・田中美津の直感的とも言える大胆な洞察を、おたく第一世代のフェミニズムとは距離があるように見えていた大塚英志によってメンバーたちの手記などから家父長制や消費社会の問題から細密にえがきなおされたかのような本書と出あわなければ、私がこの事件に事件当時以上の関心を持つこともなく、やがてはぼんやりしてくる恐怖心が残っただけだったろう。

この一九八三年の判決文もそのときに初めて知る――「被告人永田は、自己顕示欲が旺盛で感情的、攻撃的な性格とともに強い猜疑心、嫉妬心を有し、これに女性特有の執拗さ、底意地の悪さ、冷酷な加虐趣味が加わり、その資質に幾多の問題を蔵していた」。リアルタイムでもおそらく報道で接していたはずだし、あの事件は「永田洋子」という非情な女性が主犯の一人であることは〝知って〟いたが、もう一人の主犯である森恒夫の名は知らなかった。それにしてもなんてひどい文章だろう。永田洋子はほかにも容姿や性格、人間性とずいぶんひどいことを言われ続けているというが、まさに人民の敵、全息子の敵として裁判官のようなエリートにはどれだけの言葉でなじっても許せなかったのだろう。いや、赤軍全体にはそう悪く言わない人でも彼女だけは特別殴ってもいい存在だったろう。この事件には是非とも「殴ってもいい主犯」が必要だったことは想像ができる。

その後に興味を持ったのは、左翼思想ではなくウーマンリブだった。連合赤軍の翌年にはテレビで見た中ピ連と「女性上位」という言葉に惹きつけられていた。東京の住宅街で戦後民主主義教育で育った両親のもとで育っている小学生に男女差別の実感はまったくなかったが、「告発されるような差別」のある世の中に生まれた〝不遇感〟とそれを跳ね返して戦う勇ましさがかっこよかった。七〇年台初頭は、私にとっては革命の終わりではなく、ウーマンリブの始まりの時代だ。

ほんとうにこの世には性差別があるのだと感じるようになるのは高校の家庭科の授業だった。在学中の高校の家庭科室は工事中で、じっさいには料理や裁縫の教育は何も受けていないが、「ライフサイクル」の授業があった。「高校を出たら進学するか就職するか、何歳くらいで結婚して、子供を産み、その時に仕事はどうするか、退職して再就職をするのか、退職しないならどのようにすれば続けられるのか、やがて子供が育った後はどうするのかなどを考えて予定としての年表を書け」という課題だ。家庭科の授業はそもそも女子だけが必修で、男子はたらたら柔道かなにかをやって遊んでいる。その間に女子生徒は自分の生涯に絶望せよというのだ（実はこの悪夢を思い出しながら「ライフサイクル」という単語の記憶が曖昧だったので検索してみると、いまでも高校家庭科でそのような授業はあるようだ。しかしその内容は生命保険会社が作った双六で遊びながら、保険に入ったり借金をしたり奨学金を借りたり子供の学費を払ったり、といった「人生の様々なリスクと必要な備え、消費者として知っておくべき消費者契約に関する知識を学ぶ」授業だという。まったくなんてことだ！）。十六歳になって、女子だけが問われることがある。これからの人生には性差別があるのだとこのときに初めて実感したのだと思う。

ところでこのところ、全共闘世代の女性数人に話を聞く機会があったが、ジェンダーの話になると、どの女性も必ず「男並みになりたいと思ったことは一度もない」と強調することがとても印象に残っている。違和感を覚えたと言ってもいい。そうだったのか、と思う。物心ついた頃には大塚英志が連合赤軍の女性たちに見た「かわいいカルチャー」の真っ只中に生きていて、少女マンガ雑誌の全プレに応募しながら、一方で（かわいすぎる＝幼すぎる）キティちゃんグッズは持ちたくないという自意識でとり澄ましてティーンエイジャーをやっていた私からは、母や叔母世代以下の女性たちは「男性と同じように社会に出て自立したい」と思っているものだと見えていたからだ。これは私にとって、とてもややこしい葛藤だった。「生まれ変わったら男になりたい」と思ったことなら一度もない。それでも、どこかで働いて男と同じように評価されたいなら男と同じことをしろというメッセージは社会に溢れていた。それは男性からの抑圧よりも、女性の先輩たちからのメッセージとして受け取っていた。どこでまちがえたのだろう。

そうじゃない。私がまちがえたのではない。そのように誰かが変更したのだ。永田洋子の『十六の墓標』から『氷解』、『獄中からの手紙』と読んでいてもっとも痛々しいのが「自主性と主体性」を自他に求める異様なまでの強さだ。自分には自主性や主体性がないと苦しみ、自立を求める。いったいその主体や自分はどこから出てきてどこに到着するものなのか、追い詰めることしか目的ではなくなったかのような堂々巡りの「総括」と立った姿がまるで見えない自主自立を促すその押しつけがましさは、子供の目にも潑剌として見えたウーマンリブが次第に抑圧者のようになり始めた七〇年代後半の私の気分と重なる。それは「女が自由を求めるなら男並みに働け、自立しろ、甘えるな」という、あとで思えばめちゃくちゃ理不尽なプレッシャーだった。それはもちろんウーマンリブからの要請ではなく、経済界から「働いて独立したい女性」や「権利を主張する労働者である女性」への取引が申し出られていたのだが、数々のリブの先輩たちの思いとは別に、それはもう私をときめかせたウーマンリブとは違うものに感じていた。ウーマンリブに「幻滅」して、それから「専業主婦」になることを恐れながら、さらに革命のロマンなどを語る大学や親戚などの少し年上の男たちに対しては「家事の汚れ仕事もできないくせに」と怒りながら、同時に家事仕事を憎んでいた。違う。「家事が嫌い」なのは私ではなく、母だった。私には嫌いになるほどの経験もなかったのだから。ウーマンリブの幻滅以降は、世界のすべてを憎む時期が人生にはあると宣言しそうな程度に、いろいろなものを憎んでいた。とにかく家事はこの世で最悪の仕事だった。

そのような私は大学に入ってからは自分をフェミニストだとは言わなくなった。大学で出会った友人たちもだれもそんなふうには名乗り合わなくはなっていた。ただ、国を滅ぼすくらいの勢いで日々延々と続いた膨大なお喋りの時間のどこかで、それは伝わるものでもあった。「フェミニズムは一人一派」という言い方をするのは、他人の自由のあり方をとやかく言わないことで、そういう「戦時」にも、津波にも、誰かの中で確実に生きのこれるからだろう。そういう場所で、いきのこってきたからだろう。何も言わなくても、自覚がなくても、少なくとも生きていたい女はフェミニストなのじゃないかと、この二〇年、思うようになった。生きたていたいということは自分を守るということだ。少なくとも女が自分の生存を守ろうとするときに出す力を、私はいまのところ「フェミニズム」と呼んでいる。

前の時代に私の前には現れなかった左翼の思想も、同じようなやりかたでプレッシャーをうけていたのではないか。たとえば暴力革命の対には国家が指揮する最大の暴力である戦争があったろうに、その恐怖までをちっぽけなセクトの暴力犯罪のトラウマにされたのだとおもう。そのトラウマは声を上げれば左翼と言われ、左翼と言われれば暴力と結び付けられるような世論ともいえない空気を押しとどめ、広く長く、日本社会全体に停滞した。

桐野夏生が二〇一七年に発表したこの事件を元にした小説『夜の谷を行く』には、女性が多かった革命左派は山にコミューンを作り子供を育てることを目的にしていたと話す証言者が登場する。保育士や看護師、小学校教師や妊婦をメンバーに選んだことからも明らかだというのだ。妊娠や子を産み育てることが、家父長制に支配される女性性の象徴のよう語られる展開に私は疑問を感じるが、田中美津は永田の死に際して書いた「女でありすぎた彼女」で山岳ベースに招かれた時に永田洋子に「私たちはみんなで、ここで、子育てをするの」と聞かされたと綴っている。七一年一〇月、まだ「観念に手足をつけたようなマッチョな「赤軍派」」とは「合体」する前の話だ。田中は「ふーん、でも、冬が来たらどうするんだろう」と思う。まったくその通りだが、それは田中の気を引くためにちょっと「盛った」話だったのではないか。いや、それともあんがい無邪気な本心の夢だったかもしれないともふと思ってしまうほど、「彼女たち」は目の前の一手に張り付かれて追い込まれてしか身動きができなくなっていくように見える。

共産主義とフェミニズムがその年に交錯して、一方は終息し、もう一方はいまにいたるまで広がり続けていて、その世界革命はかなり達成されるだろう。ほとんどの人間は生きていたいからだ。

私が「家事」への感情を軟化させたのは一九八三年だ。大学のサークルで作っていたミニコミの企画で、赤瀬川原平さんにインタビューしに押しかけたのだ。その頃発表された父子家庭で娘さんを育てる小説が大好きで、「でも家事は大変でしょう。毎日やっても次の日には元の木阿弥で、毎日毎日同じことの繰り返しで報われることもなく……」と私は言ったのだ。原平さんはとんでもないと首を振り、こんなに毎日がクリエイティブな気持ちになれる仕事はないと答えてくれた。私の「家事」へのトゲトゲしい感情が見えていたのかもしれなかった。「怯えなくてもだいじょうぶ」と言ってもらったようだった。私は怯えていたのだ。誰も救ってくれない穴蔵から出られずに家族の「世話」で生涯を終えるのを。

それが「共産主義化革命」頓挫から「女特有」判決までの出来事だ。「革命」から遥かに遠くで起きた。

1492—1868—1945—1972—2022[0]

山崎春美

それにしても誰一人、考えてみたこともないとは！
ヒエラルキーと搾取の関係が、どのように再生産され、拒絶され、ぶち当たり、相互扶助と絡み合っているか。ケアの関係がどのように暴力と連続しているか。
暴力システムが完全に崩壊しちまわないように、どんなふうに支えられているか――。

――デヴィッド・グレーバー

おお！　ありとある治世における、あらゆる国の虐殺者ども、監禁するだけが能の国家、いや、寄生する木っ端役人の虫ケラども。最後に、ただの馬鹿どもめ。いつになったらおまえたちは、人間を閉じ込め、むやみに死なせる学問より、人間を識る学問を尊重するようになるんだ?!

――マルキ・ド・サド

男が一人、椅子にすわってカップ麺を啜っている。

もう一人、別の男がつかつかと近寄ってきて、直立姿のまま大声で呼びかける。

「ツヨシくん！」

カップ麺を小机において、ツヨシが振り返る。

「浅間山荘かと思たわ！」

と、それだけ言ってしまって、そしてスタスタと去っていく。


この一口コントの、いったいドコが可笑しいのか、わかりにくかろうけど、実際には、横山やすし（九六年没）との漫才コンビで一世を風靡した西川きよしのモノマネ（真ん丸した目が突き出し気味で「出目」という顔芸と直立した姿勢、声色）が織り込まれている。演者は「中川家」という兄弟漫才。コーエン兄弟、ブラザー・クエイ、マルクス・ブラーザーズ、スパークス。枚挙に暇（いとま）がない中でも特筆すべしはラモーンズ……って、５人兄弟として紹介したのは間章であった。わざとかどうか知らない。

それはそうと、ＮＨＫ及び全民放が終日放送するなかで、なにしろ警察官や機動隊員がカップ・ヌードルを食す姿が、ＴＶ中継で繰り返し大写しに流されたわけで、じっさい日清食品の成功秘話として語られているのだから、堂々とBSフジで流せる。文化のないのもまた文化だろう。

奇しくも北からの強風が吹き荒び、天高く舞っていた。

例によって愚にもつかない「太陽と北風」の教訓寓話か基礎教養なのか、いずれビル風ばかりが満帆に膨らんじゃ、我らが毎月一度ずつ、経済産業省前のテント広場（は、もうないけど、正面玄関の前で座り込みが続けられている）で開いている（呪殺）祈禱会[1]の開始を、いまや遅しと待ち構えている。

さっきからその周辺をうろうろと徘徊して落ち着かない様子の足立正生監督[2]をつかまえて聞いてみた。

「連赤のあさま山荘[3]のとき、まだこの国にいらっしゃいましたよね？」

「うん、いた。」

「あれって、ぼくが中一の三学期で、うるう年……？　機動隊が突入した二十八日が月曜で、期末考査があり受験なんかもあって、そっか。だからTV見れたんか…。」

「そうだった。あの時、岡本公三[4]は出国直前で、羽田のTVで見たんだ」

友部正人[5]が、この連赤事件のあった年に「乾杯」という楽曲をうたっている。

JASRAK出2110569－101

いまだにクリスマスのような新宿の夜
一日中誰かさんの小便の音でもきかされてるような、やりきれない毎日
北風は狼のしっぽを生やし
ああ、それそれってぼくのあごをえぐる
誰かが気まぐれに蝙蝠傘を開いたように
夜は突然やってきて
君はスカートをまくったり
靴下をずらしたり

おお、切なやポッポー
五百円分の切符をくだせぃー[6]

電気屋の前に三十人ほど人だかりがあり割り込んで、見ると
「連合赤軍五人逮捕！　泰子さんは無事救出されました」
金メダルでとったかのようなアナウンサー

可哀想にと誰かが言い、
殺してしまえとまた誰か
やり場のなかったヒューマニズムが
いま、やっと電気屋の店先で花ひらく

行きつけの焼き鳥屋に入るも、みんなTVにニュースに気がいって注文も取りに来ない、と続いて、そして次のフレーズ。こいつが十三歳だったぼくには引っ掛かった。

お人好しの酔っ払い、
こういうときに限って素面。
ついさっき駅で、腹を押さえて
倒れていた労務者には触ろうともしなかったくせに、
泰子さんにだけは、さわりたいらしい。

それで？　その労務者はどうなったんだ？　大阪市内で小学校に入った辺りで、孟母三遷よろしく北に引っ越して核家族化していたぼくには、彼ら「労務者」たち、腹を押さえて倒れていた方も、それは無視して声高に罵詈雑言を得々と捲し立てる者も両方が、いや一人の中に双方ともがいる彼ら、指が何本か欠けてたり、人前で半袖が着れなかったりに囲まれて、かつては過ごしていたぼくには、この唄い手の批判は無茶だと感じただけで、うまくは言えないし、いや、むしろ、世界の成り立ち方を、実は知り始めながらも、巨大な自意識と葛藤していたぼくには、彼らの中に溶け込める術などないことだけが、はっきりしていた。「オマエは本を読むクチか」（フォークナー）というわけだ。

それと、もうひとつ。この唄を作った時点では、あの凄惨な同士打ちや私刑（リンチ）が世に知られ、明るみに出されてはいない（だろう）ことと、そんなぼくの、ほんの細やかな引っかかりなどを蹴散らす勢いで、もっと、もっともっとリアルな描写に突き進む。

ニュースが、長かった二月二十八日をしめくくろとしている
死んだ警官が気の毒です　犯人は人間じゃありません、って
でもぼく思うんだ、やつら
ニュース解説者みたいに
やたら情に脆くなくてよかった、って

この「乾杯」は「にんじん」という彼（友部正人）の、この年に出たＬＰにスタジオ録音が収録されているが、アルバム未収録シングル「もう春だね」のＢ面にライヴ録音があり、この「やたら情に脆くなくてよかった…」のくだりで、拍手が起こっている。

どうして言えるんだい　奴らが凶暴だって
新聞は薄汚い涙を高く積み上げ
いまや正義の立役者
見出しだけでもっている週刊誌
もっとでっかい活字はないものかと頭をかかえてる
整列した機動隊員
胸に花を飾り　猥褻な賛美歌を口ずさんでいる
裁判官は両足を椅子に跨がせ
今夜も法律の避妊手術
巻き返しを狙う評論家たち
明日の朝が勝負だと
どこも、かしこも電話は鳴りっぱなし
けっきょく、その日の終わりに、取り残されたのは
朝から晩までポカンと口をあけて
テレビを見ていた
ぼくぐらいのもの

乾杯！　取り残されたぼくに

乾杯！　忘れてしまうしかない、その日の終わりに
乾杯！　身元引受人のないぼくの悲しみに
乾杯！　こんどあったときには、もっともっと凶暴でありますように[7]

決して世代論に堕すつもりではなく、ヒトといえど成長過程で環境に左右されるからには、その一要素じゃないの？　一九五八年に生まれたぼくにとって一九七二年は思春期（ルビ・アドレッサンス）であり、ついこないだも同い年である特殊漫画家、根本敬[8]とのトーク（東京キララ社配信[9]）で振り返ったりもしてはみた。

スポ根マンガやアニメとともにプロ野球が興勢を極め、川上哲治監督率いる東京読売巨人軍は所謂、V9、つまり九年連続日本一という偉業を達成するわけだが、この世代（昭和三十三年四月から十二月まで誕生の遅?生まれ）の小中六ヶ年義務教育が、ちょうどこのV9である。

そしてまた、ぼくらはシラケ世代である。って、くれぐれも「でもある」んじゃないからね。

一九五〇年代後半うまれ、という規定が、三つほどある諸説の内でも最狭定義だとか。団塊と団塊ジュニアの狭間で気流に揉まれでもしたのか知らん。まちがいなく、そのど真ん中である。

中学受験して大阪北部の家から一時間半掛けて西宮まで通学しはじめたのが一九七一年四月である。まぁこの学校のことはどうでもいい。物事には、たとえ些少でも語る要があるものと、如何に重要なことでも語るに価しないものだってもがある。

人を人となりでしか捕らえられない人でなし。それこそが未だにぼくだ。でもね。だからって

忘れられよか、人非人でもあるまいに。

入学すぐ、くらいに新入生歓迎の催しがあり、ぼくを含む新一年生百数十名が講堂に入った。着席に決まってるでしょうが。頭髪は丸刈り、制服、制帽である。

然るに、舞台にはバンドと思しき（二年生だったか）姿形で数人が現れ、演奏する前にバンド名バンジョーが一人いたな。当時ニッティ・グリッティ・ダート・バンドってのがアメリカにいて、そのモジリなんだけど「日帝米帝打倒バンド」。いまぼくが思いだしてみて、別にさして面白くはないけど、そんなに悪いセンスでもない気がしたから、いまだに覚えてる……というワケじゃない。その時間、演奏がはじまって終わるまでの、なんとも（あまりにも）冷ややかな空気。ぼく個人は知己が誰もいないから私語なんて交わしようがないんだけど、同じ塾だった、同じ小学校だったって、いるんだなとは思ってたし、それに、ただ押し黙ってじっとしているだけの観客をつかまえて、冷ややかもなにもないもんだ。いっそ思い込の中に耽って沈んでいるのは、むしろオマエ（筆者・山崎）やないんか、と。まあね。ただ、一人か二人は面白がってる奴もいて、その彼と彼のまわりとの段差。それだけじゃない。こういうライヴ演奏って、一曲が終わるとなにがある？　そう拍手。壇上の彼らがどう感じてるかは知らない。でも、いっそ拍手なんて、一切してくれるなっ思うだろうような、通りいっぺんな拍手に似たものって、インドの物乞いに向かって銭形平次が間違えて投げてしまった硬貨ならぬ幸か不覚か、はたまた……。

ヒトなんてったって、しょせん、おおかたは水である。

乾杯！　なんてったところで、杯を干すための口実に過ぎない。掛け声なんだ、なにからなにまで。かくして、そして夜。

夜が深みにはまりこみ
罵声だけが生き延びている
おでことおでこをこづきあって
呑兵衛さんたち
にぎやかに議論に花を咲かせてる
ぼくはひとりすまし顔

暮れなずんでる。と思って油断してたら、あっという間に闇に包まれている。呑むうちに酔い、酔ううちに杯を重ね、歌い手さえもが酩酊していて、さっき反感を抱かせた労務者たちとてご愛敬に過ぎない。

そっから表現が急激に、シュールというよりか寓話的に成ってってって、でも、だからって、そこまで書いたら仁義にもとろうし、だいいち、どこに重点をおいてるのかわからなくなる。

語り尽くせなかった沢山の人々…例えば坪内祐三。[10]　二〇〇三年に「一九七二」という本を上梓しており、すなわちターニングポイントは六八年前後と云うより、むしろ七二年だと。かなり牽強付会だけど、それなりに楽しんで読めた。忘れたけど、中身は。西荻「音や金時」でライヴ後に数人で話してて、そのママも読んだとかで、そこには頭脳警察のトシさんもいたので頭脳…の話もでてくるわよ、なんて。したら、その夜にはダンス参加してた亜弥って子が、「え？　死ん……じくなられた！　ほんとに！」

「ほんとだよ。なんでも夜中の二時頃帰ってきて、どうも調子悪いから病院に行って、それっきりだって」と、坪内くんから神蔵美子を略奪婚した末井昭さんに聞いた話をしてあげた。

そのダンサー、時々文壇バー、っても新宿だけど、に番で入ったりもしてるとか。

「わたしはあの方、苦手で」

「得意ってヒトもいたんだ？」

「いやぁ……どうかしら」


もうだいぶ前だけど雑誌「ＳＰＡ！」で（山崎を）オレは嫌いだけどねって福田和也との対談頁には載ってたので、それをあちこちに言い触れさせてたら、やがて、なにやら、「そんなことない」「嫌いじゃない」って仰ってましたよ、なんてご注進に及ぶ女性もいて、そんなだし、どうせ近々あいまみえるか（会ったこがない）なんて牧歌的に考えてる辺りが、そんなまでに道理も無理も不可なのなら、後は非合理か不条理に任せるよりない。

そんな意味では塩見孝也も忘れられない。九十年代折り返しの九五年は阪神淡路大震災、オーム事件、へんな並びだけど、東電ＯＬ殺害などが目白押しで、ささやかに新宿ＬＯＦＴグループ、オーナーが平野悠で、現社長の加藤梅造は富士通の社員だったけれど、ロフトプラスワンというトークライブの場所はまだ富久町にあった。

塩見が出所してどれくらいか、と或る女の子について、それじゃ、まるっきり集団暴行ゆうか集団レイプやで、おっさん。それも、騒ぎたてるような子やったら、なんもせえへんねやろ。もうどないなったってええわ、ウチ。みたいな、未来に絶望してる子の弱みにつけ込んで…一人対一人なら自由恋愛に持ってけるかもわからん、けど。恥を知れ！　なにやらエラい傲岸不遜でしかも偽善的なぼくがいるみたいに聞こえるだろう、か。話の行き先がいつも違ってしまうからに過ぎないのだ。だって腕っぷしある複数男性たちが、孫くらい年の違う理論武装どころか、人一倍劣等意識の強い女子に強制しているわけで、しかも出産は回避したいのだから、自然回帰なんてんじゃない。

その対極に位置占める見沢知廉について以降は、また機会を改めて。

と、いうのも、この事件がもしフィクションに置き換えた場合、肉親等の呼びかけのところがポイントになり、あるいはアクセントに成るんだろうけれど、ぼくには、ああ、これはまさしく敗戦国なんだなぁという実感が強くある。うまく言えてない。ちゃんと言いたい。もう少し考える。そして私事で恐縮だけど、まさしくぼく以外には誰ひとり書けっこない十代後半の「ガセネタ」という名のバンドにまつわって、そこへと繋がる（蜘蛛の糸か?!）ロープと、小学三年はふつう九歳で、だからティーネージャではない。十歳になる小四からが十代。実際問題、両親が離婚して、親権を争ったときにネグレクトや虐待等がなければ、ゼロ代までは問答無用に母親の庇護のもとに置かれるのだ。

さて、そのフェーズ移動ともいえる小三から小四までを、おお神も仏もないものか。生涯忘れられないような新任の女教師が、ぼくの所属していた学校に赴任して、ぼくの所属する学級を受け持った。全部で五回ありうるクラス替えは四回おこなわれたが、この二年間は移動はなかった。

白昼見た夢の思い出が濡れて縮んで、変に輪郭がぼやかされたように焦点が過去完了形を次々と閉じたので、目覚めた。われにかえる。

「ふしぎ。一九七二から四十九年。二・二六から八十五年。どっち も……」

「オリンピック・イヤー？　残念だけどハルミちゃん、それは去年だ」

0　註

一四九二年▼コロンブス、西インド諸島発見。現在まで至る植民地帝国資本主義及び奴隷制度の発祥。一八六八年▼元号を慶応四年から大日本帝国発布による明治元年に改元　一九四五年▼大日本帝国、対連合国、無条件全面降伏　一九七二年▼連合赤軍、軽井沢あさま山荘に人質と籠城。九日間銃撃戦　二〇二二年▼

1　日本祈禱団　二〇一五年八月、後に撤去させられたテントがまだあった経済産業省の角で、はじめての祈禱会が行われた時、秋山道男の肝いりで渚ようこが歌った。あれから、かれこれ七〇回を越えて、両氏とも鬼籍入りした今もなお毎月、祈禱会は、これまた二〇一一年九月より続けられている三上治氏代表の原発反対の座り込みの場を借りて、場所こそ経産省表玄関前に移動したが、継続して行われている。上杉清文、福島泰樹、澁澤光紀ら僧侶連を筆頭に、かく言う筆者（山崎）も斬り込み役で参加している。半世紀も前の水俣病等の公害企業前にて行われて以来の「呪殺祈禱」の復活であったが、諸般の事情から名称を変更するに当たって、染め抜かれた「ＪＫＳ」に合致すべく日本祈禱団としたのは、この方が、いかにも「間が抜けてバカバカしい」との理由による。

2　足立正生　一九三九年生。映画監督、脚本家。俳優。革命家。一九七一年若松孝二監督とパレスチナへ。七四年、日本赤軍らと合流、国際手配される。九七年レバノンで逮捕され禁固刑三年を経て日本へ強制送還、服役後出所するも、欧州各地の映画祭から（現在も）招待され続けているが、国から渡航許可は降りない。なお、前述した祈禱会の記録撮影隊でもある。作品多数。最近作「断食芸人」

3　連赤のあさま山荘　一九七一年から翌年に掛けて活動した極左テロ組織「連合赤軍」を略した連赤は共産主義者同盟赤軍派と日本共産党（革命左派）神奈川県常任委員会（京浜安保共闘）が合流して結成。蛇足ながら代々木に本部がある国政政党の日本共産党とは無関係。一九七二年二月十九日から二八日までの九日間、軽井沢町の河合楽器製作所の健保組合所有の保養所「あさま山荘」に人質（泰子さん）と籠城。機動隊が突入した二十八日のＴＶは民放四社とＮＨＫによる総世帯視聴率は、調査開始以来、今日に至るまで最高の89・7％に達した。

4　岡本公三　一九四七年生。革命家。それこそ一九七二年五月三十日、奥平剛士らとテルアビブ空港で無差別乱射事件を起こし、他は全員射殺さるる中を一人逮捕。終身刑で一三年間服役中の一九八五年、イスラエルとＰＦＬＰ－ＧＣとの捕虜交換により釈放。現在もレバノン在住。

5　友部正人　一九五〇年生。フォークシンガー。詩人。従来型の歌唱法を無視した独特の声質と語り調に加えて、その圧倒的な言語センスで、むしろ多くの表現者に衝撃と影響を与えてきた。根強く支持者がおり、あるときなどAMラジオのフォークソングを流す番組で、冒頭いつものキャスターの口調が、明らかに怒りを押し殺しており、なんだろうと聞いてると曰く。「今日はゲストに友部正人さんをお迎えしました。実は前回、御出演いただいたときに友部さんが「はい」と「いいえ」以外には一言も話されませんでした。とはいえ相変わらずリクエストはたいへん多く、そこで普段から交流のしやおありになる詩人の谷川俊太郎さんを特別ゲストにお迎えして……」なんてこともあった。番組は谷川・友部だけでつつがなく終了した。

6 五百円分の切符をくだせぇー ラングストン・ヒューズ（一九〇二〜六七年没。米合衆国の作家。詩・小説・戯曲・コラム等多数）の引用。五〇セントを五〇〇円に化かし翻案、自身でしているが、通常は木島始（詩人・一九二八〜二〇〇四）に依る場合が多い。はじめて行った友部正人のライヴはジャック・エリオットとの共演で、ぼくは確か、まだ中学生だったか。当時…つまりヒッピーたち、それもアメリカの、更には西海岸の、が七〇年代に入って、団塊ジュニアを拵(こさ)えるに際して地球環境は？ 働き方は？ 東洋思想、ヨーガ？ 禅？ あなたスピリチュアルっていうかヒーリングに御興味ある？ とまで言うと極端に過ぎようが（楽天の野球のんじゃなくてバンドの）イーグルス「ホテル・カリフォルニア」で、（一九六九年からずっとよ）と歌われたり、雑誌「宝島」での主力がごっそりと「ポパイ」に移籍したり、とにかく自然派、いや大自然に抱かれたがる方面に一切興味も関心もない、そんなぼくをゲーリー・スナイダーが、ラジネーシが、って方面にも目を向けさせたのだから、変な物言いだがコトバ遣いとて、さすがに魔法使い、なかなか侮れない。

7 もっともっと凶暴で… DOMMUNEというインターネット番組の、オン・エア中だったかをまるで憶えてないのだけれど。前衛特殊音楽劇とでも呼んでおくしかない、他に比類ない「時々自動」。その主宰者・朝比奈尚行（一九四八〜）が座っていて、ぼくの横に。この一座、七〇年代には、その前身「自動座」に坂本龍一や向島（当時の苗字違うけど、言うと本人怒るし、出さない。理由は知らん）ゆり子とかいて、今井次郎さんなんか亡くなるまでも（一九五二〜二〇一二）ずっといたりして、とにかく話が何故か、おそらくや、ぼくが、友部正人という固有名詞を何某かの引き合いでふと口にしたのだろう。「最初に、URCから出した二枚目までは、友部のマネージャーやってたんですよ」だって！ あまりにもぼくが驚いたので朝比奈さんの方が、かえってびっくりしていた。そんなんでも、なんでもないんだ。違うんだ。この「もっともっと凶暴に」という願望、ないし公約は、いわば果たされることとなる。ＣＢＳ ＳＯＮＹへの移籍と発禁騒ぎに加えて「反復」という決定的な一曲に至る。この明らかにディランの「雨の日の女＃12＆35」を意識したろう楽曲において、自嘲的な哄笑嘲笑(あざわらい)そのものまでをも合わせ鏡のように嘲笑しつつ歌う、という代物に辿り着く。とはいえ

8 根本敬　一九五八年生。八〇年代初頭から「ガロ」を出発点に各種メディアを席巻。漫画家という比較的、密室で孤絶しそうな場所から人間観察を簡略化したとしても、それだってデフォルメである。期せずして二人そして毒電波系に殺られる寸前で村崎百郎に身代わられ、（根本家の住所を間違え、殺人対象を変更した）九死に一生を得る。

9 東京キララ社　二〇〇一年創業。特殊出版社。自社内スペースで催してきたイベントでは関連グッズの販売も好調で、だったら、いっそ、さらなる充実を図って、芳賀書店ビルの階上に引っ越し、さぁ、これから正念場だ、やるぞ！　とばかりに士気も高揚した、その時。COVID－19が上陸、催しの開催が厳しくなってしまい、苦肉の一手と配信を開始した、その内の一本が、今回の根本敬との対談である。それにしても、冒頭のっけから、扱っている書籍の多くが奇天烈でも、だからといって「特殊出版」って、なに？　どんな意味？特殊鋼だの特殊金属だのあるけど、それらと同じ…なのかどうか。寡聞にして知らない。敢えて言うなら、たとえ、どんなに売れようとも、吉本隆明「言語にとって美とはなにか」や相田みつお画文集、池田大作「人間革命」極めつけは高橋健太郎の本とかて、いくらなんでも出さないだろうし。反対に「聖書」や「コーラン」なら発売する可能性がありそうだ。

10 坪内祐三　一九五八年生。二〇二〇年没。連続射殺魔といえば通常、永山則夫（一九四九－一九九七）を指し、前出の足立監督らによる映画「略称連続射殺魔」（一九六九）も永山が見たであろう景色を繋いだ（風景論）作品であるが、この名を冠したロックバンドのリーダー和田哲郎と、昨年頭に急死した坪内は中学で同級であり、後に工作舎に勤務、同舎のデザイナーと結婚した日高香代さんは、和田の元カノである。曰く「坪内くんは憶えてるけど、ほんと目立たない子だった」とか。

戦争機械と共産主義

友常 勉

1 はじめに

（…）戦争機械の体制は、むしろ情動の体制であり、情動は、動体そのものに、つまりさまざまな速度と、諸要素間の速度の合成にのみかかわる。情動は感動の素早い放出であり、反撃であるのに対し、感情はつねに移動し、遅延し、抵抗する感動である。（…）武器は情動であり、情動は武器である。（D／G二〇一〇下：一〇七）

連合赤軍とその事件を、ドゥルーズ／ガタリ『千のプラトー』の概念である戦争機械とその情動の体制から考察することは喫緊の課題である(D/G二〇一〇)。『千のプラトー』で、ドゥルーズ/ガタリは戦争機械の事例として、古代帝国の戦士や遊牧民、部族集団、一五世紀フス戦争の義勇軍、移民などをあげていた。この系譜には、同書刊行以降に議論の拡張と深化を遂げた、アメリカ先住民の闘争の言説的実践——それはレイシズム理論、フェミニズム、クィア理論、大地、家族、親族関係などの文化交差性を視野におさめてきた——が連なる(Driskill 2011)。私の研究上の関心からすれば、差別糾弾という路線を情動の体制にしあげたことで、身分差別からの解放を求めるマイノリティの闘争組織のモデルとなった全国水平社が想起される。すなわち、西洋-非西洋世界の双方にまたがる近代の社会運動の全史が戦争機械論と情動論から再考される必要がある。しかも戦争機械の歴史とは、ドゥルーズ/ガタリが分明化しようとした、国家化による戦争機械の捕獲過程でもある。それは連合赤軍結成から山岳ベースでの一連の同志殺害事件、そして一九七二年のあさま山荘事件までの過程に重なる。しかも『千のプラトー』が、戦争機械をノマド的な、情動の放出としての共産主義のもとにとりもどすための解放のエピステモロジーであることに留意するならば、連合赤軍の考察とは、そうした対抗的な共産主義の条件を見出す試みに相当する。

一九七〇年代前半に、東アジア反日武装戦線とならんで、日本の新左翼運動による武装闘争を極限まで実践した、日本共産党革命左派(以下、革命左派)-京浜安保共闘、赤軍派、そして連合赤軍の武装闘争が登場した歴史的根拠は否定できない。それは、ベトナム戦争とアメリカ帝国主義の敗北、ニクソン・ショック、米中国交正常化に象徴される、二〇世紀後半に資本主義国家が直面した歴史的危機に対する正当な反応だったからである。そして同時期の東アジアにおける沖縄闘争は、いまだ動揺する日本の政治情勢をめぐって、アメリカ帝国主義と韓国、台湾によって形成されつつあった反共体制の帰趨を決する課題であった（成田二〇二二）。

その意味でこの時期の新左翼運動と政治情勢は、まさしく戦後思想史・社会運動史における画期でもあった。それゆえ戦後冷戦体制と社会運動の相互関係のうちに一九七〇年代前半の武装闘争は位置付けられる必要がある。そのことを意識しながら、本稿では連合赤軍という歴史的出来事を次の三つの論点を意識して考察する。第一に、毛沢東の「革命は銃口から生まれる」というテーゼ（毛一九五七：二九七）と、それを介した永田洋子によって獲得された「銃の質」という情動とともに始まった戦争機械の体制（永田　一九八二上：一九三）、第二に、赤軍派との連合がともなった「共産主義化」という国家化による、情動の体制の捕獲過程。そして第三に、永田、森恒夫を含む連赤メンバーの逮捕後、獄中での自己批判である。森はノマド的な共産主義へと至ることはなく、他者からの触発を受容する外部性を否定する「内部主義」（江川　二〇一九：二二九、また江川　二〇二一：三四一－三六九）を克服できないまま生命を絶ち、永田はノマド化の途次で回収されない情動の断片のみを残した。本稿は基本的にこの三つの論点をたどりながら考察される。ただしこれらの三つの論点に先立って、革命左派という組織が有していた情動のありようを、大槻節子の日記『優しさをください』を通して検討しておきたい。それは山岳ベース事件に先立って、一九七一年に処刑された革命左派の向山茂徳の存在に光をあてておきたいからでもある。

2　大槻節子のこと

　大槻節子は、一九六九年九月四日、革命左派の米ソ大使館闘争（九月三日）と羽田闘争（同四日）に連動して逮捕される（九月二五日釈放）。この経験を中心に書かれている大槻節子の日記は、複数の情動が同時に地層化している状態をよく示している。横浜国大闘争、三里塚闘争、六九年四・二九の沖縄闘争、母への贖罪意識、組織内の恋人との関係が入り乱れるなかで、改組された革命左派の学生組織である学生戦闘団の結成に直面する。そのとき大槻は、「組織性への疑問。入るまい、と決心する。今が組織的なことと別れるあるイミで絶好期」と記す（大槻一九九八：三二）。だが結局、大槻は学生戦闘団に参加する。街頭闘争の激化があり、大衆的な機運は高まりながらも、具体的で効果的な闘争目標を立てられない、党派に指導される学生運動の混迷のなかで、論理と倫理への服従を強いる革命左派への不信を抱きながらも、闘争課題の倫理性に懸け、学生戦闘団を経由して、学籍を保持したままK光学に就職し、職場オルグを始める。そして九月四日の逮捕に至った。次は九月二五日の釈放時の記述である。

　九月二五日
　諸々の人達の善意に会って、今日、家に帰ってきた。
　思考と行動の軽率さが、浅薄さがどれ程の人達に迷惑と心配と気苦労をかけたことか——あらゆる方面で自分の位置を考えさせられた。

そして、警察という機構あるいはそのものの機能の持つ意味と役割はより明確に眼のあたりにすることはできたし、そしてなお、その構成分子は、具体的な人間であるところに大きな大きな一つの疎外状況をみた。(大槻、六三)

逮捕時に出会った大森署のI刑事に対する、恋愛感情をはらんだ情動は、大槻の自供による組織の同志たちの逮捕に対する罪責意識を深めることになり、この時期の大槻の激しい感情の振幅をもたらした。革命左派指導部は、執行猶予のついた恋人Kと大槻とが出会うことを禁じる。かくて大槻は、個としてのKに抱く感情を確かめることができないまま、組織が問う組織人としての主体性に、Kとの関係を重ねなければならない状態に陥る。一九六九年の年末、大槻は依然として政治路線と個の生き方に揺れている。だがそれは彼女が他者によよって触発される情動を否定しないからである。

問題ははっきりしている。
「生き方」の接近を今、求め、確かめようとしているのだ。
各々自立した人間としての――。
(…)
九・四の検挙は、観念上ではない基本的立場の問題を私に問うた。
さらに、思想の問題を私に問うた。

私のいわば不動の原点を問われた。

動揺の第一――原点の不明確さ、基盤の脆弱さ。(同右：九〇)

これまでも、そしてこのあとも、大槻は情動に対して誠実である。それゆえその情動を内部主義化し、他者性や外部性、対象性を拒絶する言動に違和感を抱く。次は九・四闘争の公判におけるメンバーたちの人物評である。「吉野クンはカッコイイ。あまりに見事だ、りっぱだ。本当にそうなのか、と思ってしまう(…)立派すぎて、私は何か頼りない、信じがたい…」「坂口さん、彼は絶句したっけ。シャバに、シャバの闘争に未練があると。(…)ただ、「うれしかった」なんて意識が一瞬たりとて起こりうるものだろうか、なぜそんな云い方をするのだろう」(同右：一一一―一一二)。大槻の情動の放出は、革命左派が遂行する大事件によっても変化しない。七〇年一二月一八日、革命左派は上赤塚交番襲撃事件を決行し、柴野春彦が射殺され、Kを含む二名が重傷を負った。その後、七一年二月一七日に革命左派は真岡銃砲店襲撃事件を成功させる。大槻はこの時期、「自らなれ、戦士に」という言葉とともに(一九七一年二月九日)、「新しい時代の我らの生の過程、我らへの死への創造」、あるいは「死と生への希求」と、強い死への願望を抱いた、自由な生のイメージを書きつけている(同年三月二日)。しかし、日記のおわりでは、のちに処刑される向山茂徳との関係が急速に深まり、彼と向き合うことでもたらされた煩悶に支配されている。非合法活動に傾注する革命左派に対して、向山は「反吐をはきたくなるような内面の志向」を対置していた(同：六二)。しかしそれは、大槻その人の本心でもあった。組織に異和感を抱く自分自身を、向山を通して大槻はみているのである。そして、この向山とのかかわりをとおして記述される大槻の批判と自己批判は、革命左派に対する向山の複雑な態度の深刻さを私たちに教えてくれる。

向山の横顔はつぎのような記述からしかわからない。一九七〇年一月三一日のソ連大使館火炎瓶投擲事件の寺岡恒一判決公判にあらわれた向山と坂口らとの初めての出会い（坂口一九九三：二二三）、半合法闘争に参加するようになって変装した「可愛らしい容姿」（同右：三一一）、しかし真岡銃砲店襲撃以後、山岳ベースでの闘争方針に対する不確定な態度（「テロリストとしては闘えるが、それ以上ではない」「反米愛国路線は正しいと思うし、党建設のためのゲリラ闘争も正しいと思うが、小説も書きたいし、大学にも行きたい」）や、大槻節子と「結婚したい」などの発言である（同右：三一二、三一四）。これは永田『十六の墓標』に記された、下山後の振る舞い「私服と酒をくみ交し、どこまで私服にしゃべるかでそのことにスリルを感じたといっている。また山岳ベースについての小説を書くつもりでいる」という、革命運動を〝虚仮〟にするかのような態度に共通する（永田一九八二上：二六九）。しかもこれは大槻からの伝言であり、それを伝えたあと、大槻は「向山を殺るべきだ」と言ったという（坂口一九九三上：三二八）。坂口や永田の記述は、非合法闘争に対して怖気づいている向山という印象を私たちに与える。しかしそれは、見方を変えれば、革命、非合法闘争などの方針や、彼が志向する文学に対して、そのつど情動を発する個性である。大槻の日記のまなざしでは、向山の情動の変容はきわめて悪魔的に見える。そうした外部性に不断に触発される人格の意味に気づき、触発されたのは大槻だけであった。だが、その大槻はかつて、

Ⅰ刑事との交誼によって同志の起訴に加担してしまった経験を有する。向山処刑を真っ先に主張した大槻には、その失敗と悔恨が去来しただろう。悔恨は党＝国家が情動の体制を捕獲する瞬間をつくりだす——それは『道徳の系譜学』のニーチェの論証を正確になぞるかのようである。向山の下山が事件化されたことで、大槻は主権を有する党＝国家に捕獲されたのである。

一九七一年四月四日で終わる大槻の日記は「ただ、素直でありたい、自然でありたい」と記されている。それは向山に触発された自己に誠実であろうとする大槻の態度であり、しかし国家に不断に獲得される振幅のなかで、その運動を持続できず、自らの体制に戻ろうとする情動である。

真岡銃砲店襲撃事件の後、全国指名手配となり、日本国内での活動が困難となった永田ら革命左派の主要メンバーは、国際根拠地建設、そして山岳ベース建設の方針に転じる。この過程で確認された「銃を軸とした建党建軍武装闘争」方針による非合法闘争への純化の過程で、スパイ・脱落者の容疑によって、七一年八月三日のいわゆる印旛沼事件において、早岐やす子と向山茂徳の両名の処刑が遂行された。すでにこの過程は、よど号ハイジャック後の赤軍派と革命左派との「統一赤軍」結成（七一年七月一五日）へと向かう流れのなかにあった。いってみれば、ひとつの戦争機械があらたな頭部としての〈国家〉に捕獲されていく過程であった。七〇年一二・八－七一年二・一七における大槻と向山が共有していたものは、その後の連合赤軍が第一に、そして本質的に切り捨てなければならない外部性——国家化した組織にとって永遠に外在的であるもの——であったといっていいだろう。

3　森恒夫の自己批判

森恒夫の自己批判は一九七二年四月から始まるが（以下、「自己批判書」）、その基調は「共産主義化の闘いを形而上学的な精神主義に転落」させたという暫定的な見通しにもとづいて記述されている（森一九八四）。それは共産主義化と革命戦士化の正しい指導を前提とした、進化主義的で単純な総括にとどまっていた。すなわち〈国家〉としての党－軍という前提をまったく疑わないまま、自己批判書は書かれた。なぜなら、事実をありのままに記述することに主眼が置かれ、その分析は二の次にされたからである。それゆえ、『遺稿　森恒夫』に収録されている、一九七三年一月一日付坂東國男あて書簡をはじめとした五通の書簡は（以下、「書簡」）、塩見孝也による批判（塩見一九七三）を全面的に受容することで、「自己批判書」の立場を否定する（森一九七三）。だがここでは「自己批判書」をまず参照する必要がある。同志殺害において、なぜ彼は「同志的な感情」を押しつぶしたのか。

> 恐らく他のメンバーが我々以上に縛られた同志の事を想い、少しでもその余りに非人間的な肉体的苦痛をやわらげてやりたいという同志的な感情を持っていた事は疑うべくもないし、とりわけ加藤君の兄弟達が私が知っているだけでも夜寝つけず何度も起きていた様なことがあったが、我々はそれを前述した様に総括できないものを甘やかすのは同志的援助に外れる事であり、そうした本人自身が自己の総括を深化し切っていない証左であるとして無残にそうした同志的

な感情を押しつぶしたのである。(森一九八四：三九)

次は行方正時殺害にかかわる記述である。ここでは理想の指導ができなかったことが総括点である。

我々がこうした状態の彼を同志的に扱わず、敗北してゆく者として冷酷無残に対した事は、この当時、我々がもはや一片のプロレタリア的同志愛や指導者としての資格をも持っていなかった事を示しているし、なかんずく、私自身の軍編入－選抜－総括－一応達成－再総括のジグザグ、一旦選抜して不適格とした事に対する指導の不在等が一度として(彼に対しても)自己批判されなかった事は私の指導の放棄として厳しく問われなければならないと考えている。その上で、選抜後の不適格メンバーとしての彼を一定期間予備隊に編入して都市－山岳訓練の反復を経て持久的に軍に編入する道をとるべきであった事を付け加えておきたい。(森一九八四：一三三)

次は山崎順の殺害についてである。

全共闘の内部から自主的に非合法軍の活動に参加し、小ブル・インテリゲンチャや単なる〝運転技術者〟に止まらない革命戦士を目ざそうとした彼の心をこれ程迄に卑屈にし、矮小にした我々の誤りは、彼を残酷に処刑した事によってもはやとり返しのつかないものになったのであるが、彼の〝生きたい〟〝早く殺してくれ〟という悲痛な叫びがこの我々の誤りに対する根底的な抗議であり批判であった事は、はっきり明記しておかねばならない。(森一九八四：一四三)

同志愛の欠落、非人間性という観点からの総括と、教育的な総括を通した革命戦士の育成という目的とは、ここでは機械的に接合されている。しかも感情と情動を区別することのない森の総括要求は、自らの感情の分析を忘れてしまうことになった。金子みちよ処刑に際して森は、金子にたいする憎悪を隠していない。

縛られてからの彼女は私に〝今の私では駄目だという事ですか〟と怒った様に云ったり、〝総括を聞いて下さい〟とか云っていたが、我々は彼女が志望したメンバー(加藤君達)と違って縛られた事実を受止め総括しようとしていないと考えていたので、未だ総括を聞く必要はないと思っていた。そして、むしろ、彼女が全くといっていい程総括しようとしていないのは、妊娠の事実をたてにとって安心しているからであると考え、彼女のこうした態度に怒りを感じたのである。翌二三日、我々はその夜新しいベースに移動する事にし、前日縛った金子さんにミルクを飲ませる際、総括を聞こうとは思っていない、皆の子供を自分の私有物にしている事についでは、我々は最後まで闘う、という事を検討して、彼女の態度が続けば開腹してでも子供を我々の手に奪還しようと考えていった。(…) 彼女は(…)「私は山にくるべき人間ではなかった」と云ったのだが、顔にアザができる迄殴った我々は彼女のこういう発言を革命戦士になどなりたくない、あるいは元々なれない人間だという風に解釈して、一層彼女の総括が絶望的であると考えていった。（森一九八四：一四六）

山崎順や金子みちよの言葉は、相手を前にした相互関係のなかで発された表現である。しかし進化主義的な発想にとらわれていた森は、それを退歩としてしか受止められなかった。自死する直前の「書簡」でもその理解は変わらない。生前彼は退歩か前進か、すなわち革命か反革命かという二項対立以外の基準を、事件の理解においてもちこむことができなかった。

やがて森は一九七二年一二月から七三年一月一日にかけての「書簡」において、自死する直前まで続けられた総括作業で、同志殺害の原因を「唯銃主義、唯軍主義極左路線」を主軸にし、「「銃－共産主義化」論を左右の解党解軍主義との分派闘争」「党の為の闘争を媒介に、「銃による整風、整党運動」にしていった」こととしてまとめあげる。この「唯銃主義、唯軍主義極左路線」「銃による整風」という総括の柱は、「共産主義化の闘いを形而上学的な精神主義に転落」させたとする一九七二年年四月の総括からの大きな転回である。ただしこれは、二・一七真岡銃砲店襲撃（「真岡銃奪取闘争」）を経て、「銃の質」という銃に対する情動を思想的表現とした永田洋子の総括の転用にほかならない。それは塩見によってもたらされた批判を受容したからであるが、森は半年のあいだに、結局は総括の視座を永田洋子のそれに依拠することになった。そして、一九七二年四月から書き始められた四〇〇字詰め原稿用紙に換算して約六〇〇枚の分量の「自己批判書」を、「ハレンチに表れているブルジョア性を何ら総括しなかった」として全面的に否定するのである（森一九七三：二一）。

この「銃による整風、整党運動」は唯銃、唯軍主義極左路線の承認、「銃－共産主義化」論の承認を要求するものでした。しかし、その内実は革命戦争を「銃」と「人」の「共産主義化」を媒介する有機的結合という形而上学、実践に対するプラグマティズムであるが故に整風運動にはなりきれないものでした。その弱点を自らの人生観の絶対化でカバーしていったのです。ブルジョア心理学や小ブル道徳、そしてスターリン主義的党主義によって整風運動化していったのです。（…）極左路線に疑問を持ったり反対した同志、この形而上学的「銃－共産主義化」論の非科学性、反マルクス－レーニン主義、プラグマティズムに対して疑問を持ったり、反対した同志、ぼくの独裁制に疑問を持ったり、反対した同志、こうした同志に対して「総括」を要求し、過去の闘争の評価等をも含めてぼくの価値観への完全な同化を強要して粛清を実現していったのです。それ故、単純な政治的分派闘争－粛清ではありません。根底に塩見さんが論叢（2）で言っている小ブル革命主義の中で生成、独自に発展、反動化していった歴史性をもったものです。しかもこうした路線、組織、イデオロギー上の諸問題を一体的に恣意的に展開したが故に、政治的焦点も不明なまま同志達の階級制、思想性の解体を早めたのです。（森一九七三、「坂東國男宛書簡」：一五－一七）

永田洋子ら革命左派が提起し連合赤軍にもちこんだ「銃の質」が、「自己批判書」において森が直観的にとらえた形而上学的な精神主義の具体的な内容になったわけである。一九七三年一二月二五日付松田久あて書簡では、これを「超階級的作風」とまとめ、永田との相互依存関係がこれを可能にしたとする。

永田さんの超階級的、小ブル道徳主義的作風、ぼくの論理化、両者の相互依存、そして両者の共産主義理解の絶対化――党物神化・独裁化が「銃 - 共産主義化」論（銃の物神化を媒介にした命がけの一挙的共産主義化論）の生成と一体的に進展したのです。（森一九七三：八五）

「スターリン主義的党主義」については、永田はこれを新左翼運動一般が抱える課題として問題化すべきだと主張し、小ブル性や個人の人格の影響も、そうした課題のなかで議論されるべきだとした。その点で、森個人の小ブル性に問題を還元した森と塩見の総括の路線とは対立している。森は基本的に塩見の総括に従いながら（「塩見氏の援助によって原則的な資本主義批判の確立がどれだけ実践的な意義を持っているか――小ブル共産主義の止揚の原点であるか、を理解するようになりました」（森、同右）、革命左派と永田からもちこまれた「銃の質」を中心にした小ブル的変質と独裁主義が、連合赤軍問題の本質だと捉えたのである。

なるほど森は自身の自己批判にもとづいて、革命左派を評価し、森の「党主義」が戦争機械としての革命左派を捕獲していった過程を理解している。

考えてみると、事実として革命左派の方が先に唯銃主義、山岳ベース、半合の軍への召還、作風問題等行っており、ぼくはそれをあとから論理化しているのですが、彼らはぼくと違って組織内民主主義（三人PB的）をもっていたし、自ら党を強調しなかったので誤りを純化しなかったと思います。ぼくは党主義でそれを純化していったことに、そしてその間君の意見を多く押えてきたことに、粛清への道があったと思います。従ってこの間書いたような革命左派としてどうしてそうしたものを生みだしたのか、許したのかは問われるべきでしょうが（…）。（森一九七三：一二三）。

ここで革命左派が森の党主義を受け入れた点は、永田が提起する左翼一般の問題であり、「ラ・ボエシー流の意志的従属」（D／G二〇一〇下：二九）の問題である。そしてこの問いに答えるならば、革命左派もまた党＝国家的構造を有していたことにひとつの理由がある。森の党＝国家が所有できるような主権があらかじめ革命左派のうちに内部化されていたのである。だが、「唯銃主義」はどうだろうか。銃が情動の発生の基盤となったのは、銃が身体と同様に外部化した形式を有する存在だからである。いみじくも毛沢東が指摘したように、銃は身体に変容をもたらし、他者との関係を変える。浅間山荘での銃撃戦について、これを牽引した坂口を森は評価し、「プロレタリア階級性を復権しようとする闘い」だと理解している（森一九七三：一四）。ここでは「銃の質」が階級性において把握されているが、それは同時に身体に変容をもたらす情動なのであり、「国家の支配から逃れ去る、あるいは国家に対抗するものとして外部性を描き出す」のである（D／G二〇一〇下：三二）。そしてこの外部的形式性こそが、「半合（法）」のメンバーたちの参加を促し、革命左派それ自体が国家の外部に位置するひとつの身体性として、戦争機械として有していた反国家的な要素であったに違いない。したがって武器が果たした意味をここで清算してはならない。これとあわせて、武器＝道具とともに、子どもを育てる共同体建設というイメージを共有していたことも忘れてはならない。後述するように、土地と家族に基礎をおいた反国家的な情動の受け皿としての性格を山岳ベースが有していたのは事実だからである。武器としての銃の意味もそのもとで変質するはずであった。連合赤軍の総括とは、こうした身体的外部性・形式性による反国家的な情動を、共産主義の名のもとにいかに継承するかにあるだろう。ただしそれを可能にするような思想的に新たな転回は、当時まだ訪れなかった。

4 永田洋子の総括

一九八三年に、永田洋子は連合赤軍事件に対する基本認識について、瀬戸内寂聴との往復書簡で次のように述べている。

私は嫉妬心で殺したといわれてますが、この辺の解明チャントやると、そういってすまされないことだとはっきりすると思っています。闇をきわめたので、この点で私は強くなっていると思います。私たちの革命観が、「闘う」ことに消極的な人に排外的なものだったと思うのですが、そうであれば、この革命観に「忠実」だった私だけでなく皆にあったのです。それを、今、私の嫉妬心などといわれては、苦笑するばかりです。／嫉妬心を意識して殺すなどということは、とうていおそろしくてできるはずがありません。主観的には「無私」の気持ちだから、十二名も殺して耐え、がんばろうと思えたのです。（瀬戸内／永田一九九三：七三）

永田の「無私」は正当に理解されるべきである。ただし、永田が革命に尽くすだけの「無私」を実践していたわけではない。永田自身がのちに『氷解　女の自立を求めて』を著したように、永田洋子も連合赤軍も、女性解放という主題を抜きに理解することはできない（永田　一九八三b）。これにかかわって、セツ・シゲマツは、永田の思想と実践をリブ運動史に位置付けつつ、法的手段を講じてでも性差別主義に対応する厳罰主義的フェミニズムではなく、アンジェラ・ディビスらの全廃止論的フェミニズムとの共鳴関係があることを指摘している（Shigematsu 2012）。シゲマツの指摘は、遠山美枝子をはじめとした女性メンバーに対する総括要求を、その初発の動機と共産主義化の名のもとのリンチ・処刑とを区別すべきであるという意味で正しい。

しかも、山岳ベースは銃を軸にした建党健軍闘争の拠点としてだけでなく、子育てのコミューンとしても理解されていたことも留意する必要がある。一九七一年六月一一日、拡大党会議後、小袖ベースで「銃を軸にした建党健軍武装闘争」方針確認後、永田は子育てのコミューン構想を提起する。

この三人（坂口、寺岡、永田）での話し合いの時、私は、「根拠地問題を解決してゆくのだから、山で子供を産むことを確認する必要があるんじゃないかしら」といった。私と坂口氏は、十二・一八上赤塚交番襲撃闘争後、小山のアジトで寺岡氏らに、それまで党員の基準としてあった子供をもたない、中絶するという規則を廃止し、子供を産み育てるということを提起したが、私はこのことで山で子供を産むという方針を具体化させたかったのである。私の提起に坂口氏らは同意した。それで、私はさらに、「それなら、夫婦の小屋なんかもつくる必要があるわね」といった。これにも坂口氏らは同意した。私たちは、吉野氏や金子さんら結婚している人たちを呼び、これらのことを話した。そのあと、結婚していない人たちにも話した。ミナ、同意して楽しそうな顔をした。私は、私たちの闘いが人間性を否定してしまうものだったことに直観的に反発し、少しでも人間性を認めていこうとしたのである。（永田一九八二上：二五〇－二五一）

先の一九八三年の永田の言葉では、この試みが振り返られていない。これにかかわっては、生還したメンバーの聞き取りを踏まえ、山岳ベースでの出産・子育てのエピソードをとりあげ小説化した桐野夏生『夜の谷を行く』がある（桐野二〇一七）。桐野は、すでに『抱く女』（桐野二〇一五）でリブ運動が掲げた子育てのコミューン構想を、「中ピ連」の活動家の戯画化を通してとりあげており、『夜の谷を行く』はそのモチーフの転用である。永田は、出産・子育てという方針は「人間性を認める」ための方便として位置付けていたが、他のメンバーたち、女性たちの受止め方が好意的であった点で、桐野の解釈は間違っていない。子どもは身体の外部化であり、それは銃と並ぶ情動の発生要素であった。しかも国家に回収されない外部性であった。そして方便とはいえ、武器奪取に成功していた革命左派にとって、そして早岐やす子・向山茂徳処刑を前にして、「人間性」あるいは「人間性を認める」ことは、この組織にとっての外部性そのものであった。永田が方便として語っている身ぶりが示すように、外部性を受け入れることとは、強い否認をともなう行為である。そこを踏み越えようとした革命左派の実践は記憶されるべきである。しかし同志殺害を経て、一九八三年の時点では、この方針提起を積極的に肯定しながら革命左派の実践として語ることは、永田にはできなかっただろう。

しかし、永田の身体＝情動が、他者を暴力的に否定することに抵抗していたことには、証拠がある。次は、一九七一年一二月二六日、小嶋和子と加藤能敬を殴打する方針が森から提起される場面である。

私は殴ることに同意したとはいえ、平静ではなかった。私はこたつのなかに入れていた手がブルブル震えていた。殴ることに抵抗があったうえ、指導として殴ることの殺伐さに耐えられない思いがしたからである。しかし、私はこの震えを隠し、指導として殴るならば耐えねばならない、しっかりしなければならないと思った。隣にいて手の震えを知った坂口氏は私の手を握ってくれた。それで私は以後しばらくの期間、自分がブルブル震えると坂口氏の手を握るよ

うになったのである。(永田一九八三下:一六五-一六六)

一九七一年一二月二六日は、森から川島指導部の批判と分派=新党結成が提起される長い夜であった。踏み絵のように新党結成が提起され、それと同時に小嶋・加藤の総括=制裁過程が進行していたのである。新党結成の提案に坂口と永田は動揺するが、ここでも惰性的に森の提起を受け入れる。しかしまた永田の手は坂口を求めた。これを否定すれば、反革命に転落すると規定されることになるからである。

「私はあなたが分派の決断と新党の確認に同意することを望んでいるし、共に前進したいと思っている」と繰り返した。坂口氏は、一瞬思いつめた泣くような顔をし、「するよ」といった。その時、坂口氏はこたつのなかで私の手を強く握り返してきた。/坂口氏の同意で、指導部会議はそれまでの緊張した雰囲気がほぐれそれぞれ何か話し出したが、私は坂口氏に手を強く握りしめられたまま黙っていた。しかし、この時以降、私と坂口氏は手を握り合うことはなかった。(同右:一八〇)

坂口の情動もまた動かされていたが、坂口の手記に手を握り合ったという記述はない(坂口一九九三下:二六八)。むしろ坂口のこの時の印象は逆である。森に詰め寄られた時のことを、坂口は次のように記述する。

それは脅迫じみていた。(…)／断崖絶壁に立つとはこのことかと思った。半ば奇襲攻撃で追い詰められた私には、森君を論破する力はなかった。この時考えたのは、いかに体裁よく屈服するか、ということでしかなかった。／そんな私の心を見透かすように永田さんが、これまでの強圧的な態度から一八〇度転換し、優しい口調で／「川島には思想的な問題があることが分かっているのだから、共産主義化の重要性は十分に分かっているはずじゃない?」／と誘うように言った。こういう時の彼女は、策士になるのだった。(同右)

山岳ベースでは永田も坂口も分断されており、その分断はこの手記の執筆時点の一九九三年でも解決されていない。獄中で解党主義的でノマド的な方向で総括を進めた永田の総括過程と坂口のそれは明らかに異なる。森が塩見を第一の参照点にしていたように、坂口の参照点は終始、革命左派議長であった川島豪であった。その姿勢をこそ解体しようとした永田と、坂口との間の距離は、連合赤軍の総括を口にすればするほど開いていく。永田が坂口の手を握ったことが坂口の手記で無視され、そのかわりに森と永田が彼に対して策士然として応対したという印象を有しているということは、坂口が川島を議長とする組織の主権を守ろうとしていることを示し、その総括が内部主義的であることを示している。

おわりに

連合赤軍の事件を、情動の表出とそれを抑圧しようとする党＝国家主権との抗争としてみたとき、明らかになることは、印旛沼事件の二人、そして山岳ベースの一二人を処刑した党＝国家が直面したのは、革命左派と赤軍派が有していた外部性と反国家性であり、そのラディカルな情動が表出する体制は、ノマド型の共産主義に転じる可能性を有していた。だからこそこの抗争過程で党＝国家は情動を圧殺しなければならなかった。それゆえ今日、私たちの総括とは、ノマド型の共産主義を守り、徹底するための条件を考えることでなければならない。

ここでミシェル・フーコーの『性の歴史Ⅳ　肉の告白』を参照しよう。『性の歴史Ⅳ』が興味深いのは、古代ギリシャ・ローマの性愛を扱った第二巻・第三巻の議論とうってかわり、初期キリスト教の告解と洗礼のテキストの分析を通して、外部的でない告解のメカニズムのうちに、主体が真理を意志的に告白する条件を追跡していることである（フーコー二〇二〇）。初期キリスト教が完成させる性愛と欲望の主体の統一性は、同時に外的・強制的でない主体の告白の条件を整えるために、西洋が費やしてきた知のエピステモロジーの重層性を示している。この議論と一九八三年・八四年の晩年のフーコーのパレーシアの議論を引き合わせるとき、パレーシア＝〈真理を語ること〉は個人の実践ではなく、集団的に行われる実践であり、その条件を初期キリスト教の告解と洗礼の議論から導き出すことが可能となる。そこで次のようにいってみたい――連合赤軍に必要だったのは、一人一人がパレーシアステース＝〈パレーシアを行使する人〉となるための集団的で重層的な知の武装であった。その知は国家に配慮するものではなく、D／Gが戦争機械の条件として論じた、定数化せず、連続変化する変数のような運動に対応した、移動・巡行する科学〔sciences ambulates〕（D／G二〇一〇下：五四）でなければならない。ノマド科学、あるいは知のノマド化は、パレーシアの実践の条件なのである。森恒夫と永田洋子を加えた一七人の死者たちの実践は、そうしたパレーシアの実践に隣接していたからこそ、自らがつくり出した党＝国家による残酷な捕獲を経験したのである。その意味で、連合赤軍の経験は、ノマド共産主義とパレーシアの形式を備えて、新たな経験へと転回されることが期待されている。

私たちは総括を求めず、殴らず、恫喝せず、殺さない。その代わりに、情動に託し、所有せず、移動し、占拠し、育てるのである。

文献

江川二〇一九　江川隆男『すべてはつねに別のものである』河出書房新社
江川二〇二一　江川隆男『残酷と無能力』河出書房新社
大槻一九九八　大槻節子『優しさをください　連合赤軍女性兵士の日記』彩流社
桐野二〇一八　桐野夏生『抱く女』新潮文庫
桐野二〇二〇　桐野夏生『夜の谷を行く』文春文庫
坂口一九九三　坂口弘『あさま山荘1972』上・下　彩流社
塩見一九七三　塩見孝也『塩見孝也論叢1　同盟の革命的再建のために』
瀬戸内／永田一九九三　『瀬戸内寂聴／永田洋子　往復書簡　愛と命の淵に』福武書店　一九九三

永田一九八二　永田洋子『十六の墓標』上　彩流社
永田一九八三a　永田洋子『十六の墓標』下　彩流社
永田一九八三b　永田洋子『氷解　女の自立を求めて』講談社
成田二〇二一　成田千尋『沖縄返還と東アジア冷戦体制　琉球／沖縄の帰属・基地問題の変容』人文書院
フーコー二〇二〇　ミシェル・フーコー、フレデリック・ゲロ編、慎改康之訳、『性の歴史Ⅳ　肉の告白』第四巻、新潮社
永田一九八二『十六の墓標　愛と死の青春』上・下　彩流社
森一九七三　査証編集委員会『遺稿　森恒夫』査証編集委員会
森一九八四『銃撃戦と粛清　森恒夫　自己批判書全文』新泉社
D／G二〇一〇　ジル・ドゥルーズ／フェリックス・ガタリ　宇野邦一・田中敏明・豊崎光一・宮林寛・守中高明訳、『千のプラトー　資本主義と分裂症』上・中・下　河出書房新社
毛一九五七　毛沢東選集刊行委員会『毛沢東選集』第二巻　三一書房
Driskull 2011, Qwo-Li Driskill, Chris Finley, Braian Joseph Gilley, and Scott Lauria Morgensen, Introduction, in *Queer Indigenous Studies: Critical Interventions in Theory, Politics and Literature*, The University of Arizona Press, 2011.
Shigematsu 2012, Setsu Shigematsu, *Scream from the Shadows: The Women's Movement in Japan*, University of Minnesota Press

せむしのこびとたちのために

中西淳貴

その場所には、なにも置きません。なにものもあるべき場所ではないのです。
——バーナード・ウィリアムズ

「連合赤軍事件」と呼ばれる出来事を扱うにあたって、まずはその外延を限定しておこう。本稿で扱うのは、あさま山荘での銃撃戦ではなく、そこへと至る過程で生じた「同志殺し」という出来事である。私が同志と呼ぶべきひとを殺すこと、そのようなひとに殺されることは、いまもひとまずありえないことではない。しかし、そのようなひとを殺したくもないし、殺されたくもない。私が直接関わらずとも、そのようなことは生じてほしくない。それゆえ、私はこの出来事がくりかえされることを望んでいない。しかし、私は同時に、当事者となった彼／女たちと同じく「革命」という出来事が到来することを強く望んでいる。資本主義は打倒されるべきである。どちらも、さしあたり当然のことである。永田洋子が語ったように、彼／女らは「大きな誤りを犯した」のだが、「又革命を心から信じ革命戦争へまい進しようとしていた者」たちだったのである。この証言を疑う理由はない。私にできることといえば、この連合赤軍事件という出来事を原因から理解するように努めることである。本稿が行うのは、ひとつのそうした試みである。それは、このような出来事が二度と生じないようにするため、そのうえで革命が到来するためである。

＊

もちろん、当事者たちをはじめとして、多くの論者がこうした努力を積み重ねてきた。たとえば、小嵐九八郎の記述を引いてみよう。

二つのあまりに異なる戦略・組織・体質が強引に結合したから、どちらかがヘゲモニーを握ろうとしたから、革命左派は処刑を簡単にしたスターリン主義の組織だったから、全体のキャップの森恒夫に指導者としての資質がなかったから、ナンバー2の永田洋子の嫉妬心から、先進開発国革命型のブントが封建主義的社会主義の革命左派を飲もうとして飲まれたから、都市にアジトと拠点を持つべきなのに人民から切断された山岳にして集団催眠状態に嵌まったから、銃の持つ暴力性に悪酔いしたから、大権力者も小権力者も同じく権力の味に酔いしがみつくから、聖職者やジュンブンガク評論家と同じで通俗を忌み嫌ったから……等等。[1]

個々の説明の強度に差はあるといえ、これらが原因として見定められてきたものの一部である。しかし、こうした一覧表のうちに見てとられるのは、或る種の偶然性と特殊性かもしれない。ならば、私たちは心配せずとも連合赤軍のようにはならないと思われるだろう。

とはいえ、まず確認しておきたいのは、連合赤軍の特殊性として言挙げされるもののいくつかは、そもそも連合赤軍が新左翼であることから当然かもしれないが、「異端」一般の特徴と重なっていることである。たとえば堀米庸三は、『正統と異端』において、スターリン批判を横目に以下のように述べていた。

異端は正統あってのの存在であるから、それ自体のテーゼはなく、正統の批判がその出発となる。批判の基準となるのは正統と同じ啓示であり、これによって正統教会による啓示の解釈とその現実との妥協・協調の歴史がその対象となる。したがって異端のテーゼはつねに啓示への復帰であるが、その啓示は全体的にではなく部分的に、つまり異端の主観的真実に合致するかぎりにおいて受け取られ、またより文字どおりに解釈され、その現実への適用可能性は相対的に軽視ないし無視せられる。つまり理想（啓示）と現在とがその間にあるべき実現の過程を省略して端的に一体化してとらえられる。〔…〕それはまた現実との妥協を可能なるかぎり排除するものであるから、道徳的には英雄的なリゴリズムを必要とし、その信徒は必然的に少数たらざるをえない。[2]

私たちはここに、路線のあいまいさ、「銃による共産主義化」論の主観性、短期的な共産主義化の実現――といった連合赤軍論におけるいくつかの論点を見出すこともできるだろう。また、権力によるローラー作戦、相次ぐ仲間の逮捕、逃亡生活による消耗や、隔絶された山岳という閉鎖的な環境が指摘されることもあった。これについては、丸山眞男が「忠誠と反逆」においてこのように指摘していたことを想起しよう。

いうまでもなく、忠誠と反逆とは相互に反対概念contrariesをなすが、矛盾概念contradictionsではない。忠誠ならざるもの必ずしも反逆者ではなく、反逆は不忠誠のある種の表現形態なのである。ただ集団もしくは原理の思想的凝集性がもともと強かったり、あるいは一定の状況――たとえば政治的緊張の高度化――の下で強まるほど、忠誠と叛逆との間の広大な地帯は縮小して、不忠誠はただちに反逆を意味するものとなるだけのことである。[3]

山岳に集った連合赤軍の思想的凝集性、政治的緊張の高度化はともに疑うまでもない。こうした状況において、丸山が指摘するとおり、些細な「不忠誠」が、反革命的な「反逆」をただちに意味することになる。だからこそ、会議中に髪をとかしているなどといったどうでもよいことに端を発する総括が生じえたのだと語ることもできる。もちろんそうしたことについては、「差し出がましいようですが、一体何が問題なんですか」という擁護もなされうる。しかし一方で、そのような「私自身も感じていた」ものの「ただ遠慮して言わなかっただけのこと」程度の不忠誠が、当時の状態のなかでは、総括しろと求められるのも「いわれてみればもっとも」な反逆とみなされることにもなりうる。[4] 忠誠と反逆の広大な地帯が縮小したことは、処刑と総括がその区別もあいまいに混在していること、さらには総括が途中から処刑へと変化した例があることもあかしだててくれるだろう。

このような例からも理解できるように、非常に特殊にみえる連合赤軍の問題は、集団性にかかわる普遍的な問題にも通じているのである。ドフトエフスキーの『悪霊』の存在を想起してもよいだろう。そしてさらにいえば、新たな革命は、つねに中断した革命の再開でしかないことを、ランボーも、ローザも、ベンヤミンもそれぞれのしかたで指摘していたのであった。かくして、そこでの「革命」というべきものがいくら空虚な記号にすぎないとしても、革命を求める私たちは連合赤軍との不連続な連続性のうちにあるといえる。それゆえ、連合赤軍という問いは、私たちにとっても、いまだ生々しい傷痕として回帰せざるをえない。しかし同時に、連合赤軍事件が或る種の普遍性をもつとはいえ、逆に普遍的な理論をこの具体的な出来事に適用してばかりでもならないだろう。そこで行われるのは再認でしかないからだ。それゆえ、私たちは以下で、あくまで当事者たちの手記や手紙を中心に据えることにしたい。

さて、私たちは、どこから始めればよいだろうか。ひとまず「連合赤軍事件」を際だたせているのは、革命左派と赤軍派それぞれの路線の不一致がしばしば問題視されるとはいえ、「内ゲバ」とは区別される、いわば「内々ゲバ」であったことである。つまり、ひとつの党と目されるべき集団の内部で、仲間を、それも大量に殺したということである。ひとまず内ゲバとは、みずからを「革命的」と位置づけ、敵対する党派を「反革命的」と位置づけることによって可能になる。内々ゲバはそれに対して、ひとつの党派のなかでそれが生じたのである。もちろん、山岳ベースに至る以前に、革命左派は早岐やす子、向山茂徳の、赤軍派は望月上史の死を経験していた。とはいえ、合流以後の死が異なるのは、その死への過程に「総括」が関わっているという点である。やはりこの「総括」というものを、議論の出発点にしてみよう。

*

左翼において「総括」とは、その活動のなかでの具体的なミスや、活動家としての人格的な問題点に関する自己批判と、ほかの活動家との相互批判からなる。とはいえ、ここまで形式的に言ってしまえば、事態は日常的なものであると思われるかもしれない。或る左翼的なグループ——左翼的ですらなくともよいが——があったとしよう。その内部では、当然のことながら能力や環境に応じて、個々のメンバーにとって可能な役割は異なることになる。とはいえ、その限界を考慮しても、或るメンバーに対して「もうちょっと頑張ってくれよ」と感じることはあるだろう。あるいは、嘘ばかりついて活動を混乱させるメンバーがいたとしたら、「頼むから性格を直してくれよ」と感じることもあるだろう。そうしたことに対して、なんらかのしかたで改善を求めることそれ自体は、とくだん問題ないことのように思われる。問題は、それがなぜ殺人にまで発展するのかということである。そのあいだには、どのような差異があるのだろうか。

しかし、そもそも総括において目指されているのは、個々の活動家における具体的な活動や人格における欠点の自己批判・相互批判だけではない。むしろ、こうしたものの改善は副次的であるとさえ言えよう。たとえば、坂東國男は以下のように述べている。

又党の組織活動・規律・作風の問題が政治・軍事路線と不可分一体のものであると同時に、各同志にとっても日常生活の立居、ふるまい、言動は革命に対する、革命戦争に対する、いわば国家と革命の問題をいかに階級的に把握しているかの政治的・理論的あらわれである。（坂東國男「革命の同志諸君へ」、四六頁）[5]

活動家がなす一挙手一投足は、「革命に対する、革命戦争に対する、いわば国家と革命の問題をいかに階級的に把握しているかの政治的・理論的あらわれ」であり、そこに見られる欠点とは、階級的把握の欠如に関わっていることになる。それゆえ、活動家は総括をつうじて、結局のところはこうした「把握」のしかたを矯正することが目指されているのである。もちろん、そうした把握のしかたは、それぞれの党の「路線」によって規定されている。総括とは、主体において路線を現実化させるための、デミウルゴス的な装置であるといえよう。総括の目的とは、より純粋に活動家に対して路線を「体現」させることなのである。
そのように主体において「路線」を現実化させるために、それも「短期に」現実化させようとすれば、もっとも手っ取り早い手段として、有形、無形問わず暴力的な手段を用いた、徹底的な自己否定が浮上するだろう。こうした手段が非常に有効であるのは、昨今でいう「ブラック企業」の新人研修をご存知の方であれば、容易に理解してもらえるだろう。森自身も、みずからの総括について以下のように述べている。少し長いが、引用しておこう。

この「銃による整風運動・整党運動」（当時はこうは言っていませんが）は、唯銃唯軍主義極左路線の承認、「銃ー共産主義化」論への帰依［…］を強要するものであり、この路線に対して疑問を抱いたり反撥したり反対した同志、この形而上学的な「銃ー共産主義化論」の非科学性、反マルクス・レーニン主義性、プラグマチズムに対して疑問をもったり反撥・反対した同志、或いは、こうして実際はこの単純化された観念論を恣意的に拡大させ、党独裁化を生み出していった（党を物神化した）ぼくとその独裁性に疑問を持ったり反撥・反対したりした全ての同志に「総括」を求め、過去の闘争の清算、恣意的な歪曲等、ぼくと評価の違う同志に対しても同様に批判を行っていくことによって「粛清」を現実化していったのです。／しかも、こうした路線上の問題、イデオロギー上の問題、組織問題等を、一体的に恣意的に展開（科学性も無く、プラグマチズムに共産主義の色を塗ったものであるが故に必然でした）したが故に、政治問題としての焦点、唯銃唯軍主義極左路線を巡る論争とはならず（そうさせず）、同志達に全く自己の階級

的経験、思想性を解体することを迫るものだったと言えます。（森恒夫「塩見孝也宛書簡」、一〇六―一〇七頁）

つまり、「銃による整風運動・整党運動」としての総括によって、森はみずからの生み出した路線を他の活動家たちに承認させ、それに帰依すらさせた。この路線を承認するなかで、総括される主体の側では、自身の考え、「階級的経験」すらをも解体することになったのである。この点を、森は強調して以下のようにくりかえしている。

まさに山岳ベースは、ぼくの形而上学、プラグマチズムによる同志たちのM・L主義、階級性の解体の場だったのです。（森恒夫「塩見孝也宛書簡」、一〇七頁）

総括をつうじて、各自の人格を解体させることによって、路線への疑問、反撥、反対といった不純物を取り除き、「唯銃唯軍主義極左路線」を主体において純粋に現実化すること。森によれば、それこそが山岳ベースにおいて行われていたことなのである。そのために暴力的な手段を用いることには必然性がある。こうした総括こそが、直接的には死をもたらしたのである。

では、こうした総括のあり方だけが問題だったのだろうか。結論を出す前に、そもそも手法にかかわらず、総括の要求を必然とした理論を確認しておきたい。これ自体も、総括の暴力的手法と同様に、多くの批判を加えられている。そのような理論こそが「銃による共産主義化」論と呼ばれるものである。それは、もともと赤軍派の議長であった塩見孝也が、大菩薩峠での大量逮捕を受けて提示した「共産主義化」という路線に由来する。念の為に述べておけば、この共産主義化とは、革命家となるべき「主体の」共産主義化を意味している。毛沢東よろしく、戦争においては「人の要素」が重要であるということだ。党は、すなわち軍でなければならない。森は、こうした共産主義化論を基本的に継承しつつ、「銃による」と規定を加えたのであった。それは具体的にいえば、革命戦争において銃を握ることができるような主体となるためには共産主義化が必要であるという主張といえよう。そして、この共産主義化を諸メンバーが達成することをつうじて、銃による殲滅戦を貫徹できるような党を建設することが目指されたのである。さらに開いてしまえば、革命戦争というものでの勝利を最終目的とするならば、そこで銃をもって死を賭して戦う主体が必要であり、そのためには主体が共産主義化するという訓練の過程が必要だ、というわけである。もちろん、この共産主義化とは、具体的には総括において果たされるのである。かくして、総括は共産主義化論によって基礎づけられていたのである。

森が端的にまとめるように、銃による共産主義化とは、もちろん唯軍唯銃路線からして要請されるものである（「塩見孝也宛書簡」、一〇四頁）。そして、こうした共産主義化と唯軍唯銃主義的な路線の採用が、しばしば総括が殺人にまで至った原因として指摘されてきたし、当事者たちの多くもそれをみとめている。植垣康博は「党全体が銃にふりまわされてしま」ったと、加藤倫教は「「人」と「銃」の関係が逆転した」と表現し、永田と坂口も銃の獲得に規定されてしまったことを、森は唯軍唯銃路線をそれぞれ自己批判している。たしかに、こうした路線の選択が誤りだったのかもしれない。銃を手にしたことによって、すべてが銃から逆算されることになってしまった。森の言葉どおり、「銃の物神化」があったのである。銃をもつこと以外に革命的であることは可能であるにもかかわらず、死を覚悟して銃をもつことが、革命的であることと同一視されることになってしまったのである。その結果、「死の覚悟」というオブセッションに取り憑かれてしまったのである。

これまでの議論をまとめておこう。同志の殺人をもたらした、路線を主体に現実化させるための総括は、主体化の過程それ自体を理論化した「銃による共産主義化論」に基礎づけられているのであり、それは基本的に唯軍唯銃路線という路線、あるいは銃そのものの物神化に基礎づけられていた。ならば、永田が言うように、連合赤軍事件は「やはり路線や指導の問題として考え」られるべきなのだろうか。森も、自身の銃による共産主義化論とそれに基づいた総括によって、ほかの路線を検討することがなくなった（なくさせた）ということに対して自己批判を向けていた。当事者たちの手紙、あるいは多くの連合赤軍論をひもとけば、これまで見てきたように、総括（指導・粛清）の具体的な方法にむけられた批判、路線の内容に向けられた批判、銃に振りまわされてしまったことに対する批判が、その多くを占めている。ならば、正しい路線の追求と、その路線に則って正しく実践を展開しさえすれば、連合赤軍事件をくり返すことがないままに革命は到来するのだろうか。

＊

しかし、永田は以下のように述べている。「銃のもつ本当の内容を知りたい」(「高橋弁護士宛書簡」、三七頁)。反省の弁であることを差し引いても衝撃的なことばである。また、坂口もそもそも銃を握ることのできる主体というものが、森個人の「革命戦士像」、「観念の産物」でしかなかったと述べている。[6] 先の引用からもわかるように、森本人もそれをみとめている。さらに、植垣は山岳ベースが総じて「無規律のうらがえしの規律主義」だったとまで述べている。そして、森は共産主義化の過程について以下のように述べたという。銃をもたせて総括させるという、それ自体異常な場面での発言である。

この銃は鉄砲店に飾られていて死んだ銃だったが、われわれが奪取したことによって、奪取された銃に成長した。味方の団結を強化し共産主義化を勝ちとる銃にするためには、それを使って殲滅戦を開始しなければならない。そうすればお前も殲滅戦を担う革命戦士へと飛躍することが出来る。[7]

この場面を想起する坂口が直ちに批判するような、「銃は成長しない」という指摘が重要なのではない。森が実際にそのように述べたかは別として、坂口の証言としても、この発言の矛盾に気づかない点が重要なのである。銃をもつ革命戦士であるためには、総括がなされていないといけない。つまり、総括が終わるためには、総括された者が銃をもつことができる革命戦士であることを確認せねばならなかったはずである。しかし、ここで語られているのは、殲滅戦における革命戦士への「飛躍」である。銃をもつための主体化＝共産主義化の過程に、銃をもつことが組みこまれてしまっているのである。ならば、この過程は決して終わることのないものとなるだろう。

先のいくつかの発言やこうした矛盾から示唆されるのは、永田も、坂口も、植垣も、そして森自身も、誰も、結局路線を把握していなかったということである。それゆえ、総括の結果として求められるべき主体もわからず、ただ共産主義化という過程のみを知っていたということである。もちろん「殺すか、殺されるか」という革命戦争へと向けて、死を賭することのできる主体をつくらなければならなかった結果として、総括において死へと至らしめられたという説明は非常に説得力がある。しかし、そのように把握していたのであれば、永田は「思いがけぬ同志の死」（角田弁護士宛書簡）とは表現しないのではなかろうか。死ぬことのできる主体をつくる過程で、死人が出たことを「思いがけぬ」と表現することには違和感が残る。むしろ、ただ共産主義化するという過程のみに忠実であった結果、殺人に至ったのではないか。

私たちが、連合赤軍に関するこれまでの検討から取り出すことができるのは、いまなおしばしば見受けられるような「路線－総括－主体－革命」という図式である。唯銃路線があり、銃による共産主義化（＝総括）により、銃をもつことができる主体を形成し、革命へと向かうというわけである。しかし、そもそもこうした図式が、それ自体として矛盾を孕んでいるのではないか。というのも、路線とは、革命を規定し、そこへと至る道を提示するものである。総括において、その革命までの「路線」を正確にたどることのできる主体の生産が求められる。しかし、それが正確であるかどうかは、革命が到来するまで判断することができない。それまでは、つねに失敗であると判断するほかないのである。それは、総括－主体という共産主義化の過程の失敗として理解されるほかない。総括それ自体が、森が述べたように路線を問うことを禁じるからである。これを逃れうるとすれば、路線そのものの完全な人格化として位置づけられる指導者（あるいは指導部）のみであり、そのほかのメンバーは革命の到来までは共産主義化が失敗していると「総括」されるほかない。森は赤軍派の総括を「よどみなく語」ったことによって「絶対的な信頼」を獲得することができたのは、誰も突っ込む人間がいなかったにすぎなかっただけにもかかわらず、それは「力量の違い」とされるわけである。[8] 総括をとめることができるのは、ただ革命のみである。総括は革命以前には失敗し続けるのだから、その強度をあげ続けるほかはないだろう。総括の終わらない空転のなかで、有限である活動家の死が多くの場合に先行するのは当然のことである。この遥かなる距離を一瞬で走破しようと試みたために、連合赤軍はその強度を極端に高めることになった。永田にとって思いがけなかったのは、人間の有限性にほかならない。ひとは、じぶん自身の死どころか、ひとの死すらもさしあたりたいていは忘却しているというわけである。

連合赤軍は、こうした路線－総括－主体－革命という図式を、確たる路線もないままにひたすら空転させ続けたのである。その空転は共産主義化によって正当化されてしまった。しかし、路線の内容もなく、かくしてあるべき主体もなく、もちろん革命は到来せず、ただただ総括をなした結果として死を量産したのであり、そこにおいてこの図式そのものの矛盾が剝き出しになったと言える。こうした総括の矛盾を的確に描出したのは、坂口と加藤倫教であった。

政治を無視し、ことさら個人批判に執着していった。組織員は小心翼々とした君子に変貌していきました。批判された個人は自己批判を迫られても自己批判できない、更にあげ足をとられ攻撃される。屈服以外ないのです。その結果その個人をも駄目にしていく。（坂口弘「京浜安保救対宛書簡」、一二一一三頁）

当然にも「共産主義化」をしない者は、「銃を握れない」のであり、「銃を握ろうとしない者」は、「銃を握れない」のであり、それは「裏切り者」であり、「通敵者」である。「総括」＝共産主義化しない限り、「敵」であるということになります。（加藤倫教「三・三一党声明に応えて」、七八頁）

銃を握ろうとしないといっても、銃を握る場所などどこにもない。総括は終わりがない。路線がないから自己批判もゆくあてがない。路線があっても同じことであるが。総括は終わらず、敵であるしかなく、また総括である。寺岡恒一が「処刑」前に遺した「革命戦士として死ねなかったのが残念です」という言葉は、総括の不可能性を確かに突いている。「何が総括だちくしょう」、山田孝のこの言葉に付け加えるべきものはない。或る路線が規定するところの「革命」が到来したときには、革命を制作する主体は不要になるにもかかわらず、真に革命的な主体である（あった）かどうかを革命のそのときになるまで判断することはできない。これは、路線になにを代入しても当てはまるのであって、連合赤軍の特殊性のみに問題があったわけではないのである。あらゆる総括は、果てなき継続のなかで直接的な暴力の介在を問わず、つねに有限な人間の死＝解体までむかわせているのであり、死に至らないとすれば、むしろそれは総括の強度を高めることを「日和見的」に中断しているにすぎないのである。この過程を真に中断することができるのは、ただ革命の到来のみである。しかし、その革命を多くの革命戦士候補たちはむかえることができなかった。連合赤軍において、路線、総括、主体化、それぞれに問題があったことは事実だろう。しかし、以上のことから理解されるように、問題はむしろ、それらを組み合わせた路線－総括－主体－革命という図式それ自体のうちに潜んでいたのである。そして連合赤軍の偉大があるとすれば、それはこの図式にひたすらに忠実だったことにほかならない。誰も、このことを貶めることはできないだろう。

*

この路線－総括－主体－革命という図式の亡霊がいまだに街を彷徨っていることを、私は知っている。私たちは、新たな道を探しはじめよう。この図式の前提となっているのは、観念的な「路線」を現実的な「革命」へと制作することを目指す革命観である。こうした革命観のことを「制作的革命論」と呼ぼう。こうした革命論自体が、決定的に誤っているのかもしれない。しかし、これはほとんどの左派に採用されているものであろう。路線を現実化するために、それを担う主体を総括によって制作し、その主体による革命の制作を目指す。そこには、制作に特有のカテゴリーとして、「目的論」も必然的に入りこんでくることとなる。革命のための主体、その主体を制作するための総括といったように。こうした「制作的革命論」を放棄することは、革命を断念することとは別のことである。かつてハイデガーが、古代ギリシアに端を発する制作的存在論とは別の存在論を見出したように[9]。私たちは、最後にライナー・シュールマンの哲学を手引きにして、このことを確認しておこう。

　シュールマンは、『アナーキーの原理』において、ハイデガーやデリダの仕事を引き継ぐかたちで形而上学批判を遂行した。かれは、第一哲学から実践哲学を、存在論から倫理学を派生させるという思考それ自体が、脱構築されるべき形而上学的閉域の内部にとどまったものにすぎないと診断する。そして、「なにをなすべきか」という問いに対する答えとしての第一哲学、理論を放棄し、「アナーキーの原理」をそこに据えるのであった。それは、原理の放棄それ自体を要請する原理である。これまでの議論と重ねあわせれば、シュールマンの理路は、路線からそれに基づく主体を、そして革命を制作しようとするという図式の批判そのものになる。「革命家はいかなる主体であるべきか」という問いに対する答えとしての「路線」が放棄されるべきであるからだ。路線‐総括‐主体‐革命という図式をもたらす制作的革命観、その図式を統制する目的としての革命は、破壊されるだろう。ここにおいて、第一哲学の内容を左派的に充填することは、「正しい」路線を求めて探究することと同様にまったく無意味であることになる。かくしてそこでは、プルードンやバクーニンといった既存のアナキストたちも、「権威的な権力の代わりに理性的な権力を据える」[10]ことを目指したというかどで退けられることになった。「なにをなすべきか」という問いに答える「原理」を求める身振りこそが、反動的であると位置づけなおされるべきである。

理論は、原理を構築するためでなく、機械として機能させるためにあったはずである。その地平において、私たちは、理論、あるいは銃とふたたび出会い直さなければならない。ドゥルーズのことばを引用しておく。

一冊の本は、はるかに複雑な外部の機械装置に組み込まれた小さな歯車にすぎない。そして書くということは、その他もろもろの流れに組み込まれた小さな歯車にすぎないし、他の流れにたいして特権をもつわけでもない。[11]

ここでドゥルーズが語っているように、理論はそれ固有の使用法を備えたひとつの機械である。ドゥルーズにせよ、シュールマンにせよ、あらゆる理論を放棄せよと主張しているわけではない。重要なのは、肥料、鋸、槌、俎板、土地、家屋、これらと接続する機械として理論を位置づけること、あるいは歩く、耕す、食べる、建てる、壊す、愛しあう、これらとなんらかわらないものとして、書くことを位置づけることというそれ自体は凡庸な主張、これである。原理を放棄した者どもにおける「アルケーを剝奪された行為」の可能性は、この地平においてはじめて仄見えてくることだろう。

＊

私たちはこれまで主に連合赤軍について検討してきたが、それに限らず多くの左翼が、総括によって死を迎えてきたはずである。直接的ではないにせよ、肉体的なものではないにせよ。そのことを最後に想起しておくことは無駄ではないだろう。この小論が、総括という不幸な出来事に、どのようなかたちであれ居あわせてしまった彼／女ら同志たちに対する、ひそやかな連帯の挨拶になれば。そのためにも、ベンヤミンが幾度かその文章のうちで引いた一節を結語に代えたい――かわいい子どもよ、お願いだから／せむしのこびとのためにも祈っておくれ。

註

1 小嵐九八郎『蜂起には至らず――新左翼死人列伝』（講談社、二〇〇三年）、一二八頁。
2 堀米庸三『正統と異端――ヨーロッパ精神の底流』（中公文庫、二〇一三年）、五七頁。
3 丸山眞男「忠誠と叛逆」『忠誠と叛逆』（ちくま学芸文庫、一九九八年）、一一頁。
4 植垣康博『兵士たちの連合赤軍（改訂増補版）』（彩流社、二〇一四年）、二五八頁。
5 以下、当事者たちの手紙についてはとくに指示がない場合、『情況・連合赤軍の軌跡』（一九七三年八月号）からの引用である。頁数も、本書に準じている。
6 坂口弘『あさま山荘1972・下』（彩流社、一九九三年）、二〇五頁、二一〇頁。
7 坂口弘、前掲書、二〇四頁。

8　植垣康博、前掲書、二七〇頁。

9　たとえば、マルティン・ハイデガー『現象学の根本問題』木田元訳（作品社、二〇一〇年）を参照のこと。

10　Reiner Schürmann, *Le principe d'anarchie. Heidegger et la question de l'agir*, diaphanes, 1982=2013, p. 16.

11　ジル・ドゥルーズ「口さがない批評家への手紙」『記号と事件——1972-1990年の対話』宮林寛訳（河出文庫、二〇〇七年）、二二頁。

〈再録〉

永田洋子はあたしだ

田中美津

先日あたしたちは第一回リブ大会を開いた。その最終日を「リブを自分の問題として考える男を入れての大集会」で飾り(?)、運動の旗上げ以来のタブーを始めて解いた。といっても一日だけの開禁で、どういう風に誤り伝わったものか当日以外の日にも参加希望の男が三〇余名来たとかで、受け付けの女の子が大分難儀したらしい。「なぜ男を入れないのか」と質問してくる男が、それまでにもあまたいて、ヘビに金縛りにされるカエルの口惜しさが、当のヘビにわかるものかという想いの中で、あたしは答えるまえに絶句するを常としてきた。

男にとって〈ここにいる女〉とは母親だけだ。モンローであれ、藤純子であれ、あとの女はみな男の想像の産物、つまりは〈どこにもいない女〉だ、川端康成は〈どこにもいない女〉を描きさるをもってノーベル賞の栄誉に浴した訳で「駒子」のモデルなんているものか。

母親以外には生ま身の女との出会いを持ちえない男共がリブの女を嘲笑し、永田洋子を裁こうとする！　この煮えたぎる口惜しさは〈どこにもいない女〉に脅かされ続けてきた過ぎし日のうらみつらみとからみあいあたしの五体、その毛穴その血管の一穴一本を押しあけて、「なぜリブなのか」の問いの答えを吹きあげていく。

もうかなり前のことになるが『タニア――あるゲリラ戦士の生涯』というゲバラと行を共にした女の伝記を読んだことがある。完全に政治的で革命的であったタニアは云々、といった調子のその内容は、信じ難いの想いだけをあたしの記憶に強く残した。

あたしにとって永田洋子は、もしリンチ殺人の首謀者として逮捕されることがなければ、見上げてそれで終りの、縁なき「偉人」であり続けたかもしれない。たぶんそうだろう。「出会い」は常に偶然であり、時には皮肉な要因を媒介とする。

今あたしは彼女が「やさしい女」であったろうことに一片の疑問も持たない。そして又ごく普通の、あたり前の女としての彼女を我が身とだぶらせて、ありありとイメージできる。常日頃想うことはこの世に生きる幸福とやらがもしあるとするなら、それは「苦しむにも才能がいる」ということ、その才能を有して生きる以外のものではなかろうということ。永田洋子のやさしさ、そして強さは彼女が人並み優れて苦しむ才能に恵まれていたことと深く関わっていたはずだとあたしは直感する。苦しむ才能とは研ぎすまされた感受性の産物に他ならない。そしてそれは人それぞれの個人史に胎まれた闇を通じて育ぐくまれたものを当人をさしおいて云々する、その無礼を敢えて犯そうとするあたしは、まずもって己れを明らかにさせねばなるまい。あたしは永田洋子です。

周知のように永田洋子はバセドウ氏病を患っていた。そして田中美津という名の永田洋子のその血液は微弱な陽性反応を示す。汚れた血液と、それとのかかわりの中で形成されたあたしの精神史については、先頃書いた『いのちの女たちへ——とり乱しウーマン・リブ論』の中ですでに明らかにしているので、ここでは話の筋道に必要な事柄だけを簡単に述べておきたいと思う。幼児いたずらされたことが原因なのか、それ以外のことが災いしたのかは本人でさえもわからぬことながら、しかし、とにかく長い間放置した果ての治療であれば、やけどの跡に残るひきつれと同じく、微弱な陽性反応を体内に残すという。

若くしてその後の後半生に濃い色どりを加えるであろう病いを得たことの、その外見は同じでも、しかしイタズラをされた女全てがリブをやるに至る訳ではないのと同じく、あたしと永田洋子のたどってきた道は、それはどこまでも交ることにない二筋の糸。それを知って、なおかつ己れを永田洋子だと言い張るあたしの想いとは、それを記すだけでもたぶんこの原稿の枚数をあふれる字数となることだろう。

とにもかくにもあたしはいま現在己れの唯一持ちうる方法論で、未整理のこの物狂おしい想いをもって彼女と、あたしたちを分断しようとする壁ににじりよって迫っていきたい。迫らずにリブなどできるか！

さて永田洋子について語る人は一様にその病気のことにふれるが、大抵は彼女の行為が狂気の果て、もしくは自暴自棄のそれであることを論理づけようとして、その病名を引っ張りだす。狂気説が論外のことであるからここではひとまず置くとして、病気故に自暴自棄に彼女が陥入ったと思い込む人々は、「でも、永田のバセドウ氏病はかなり良くなっていたという話だし……」とつぶやいて、ハタと首をかしげる。あたしは永田洋子の病いがどの程度のものであったかは知らない。しかし、病気とは体だけでなく、心も蝕んでゆくものなのだ。

新左翼との出会いを待つまでのあたしは自分は汚辱の女なのだ、という思い込みでただただちぢこまっていた。その思い込みの裏には「なぜあたしだけが！」というどこにもぶつけようのない絶望的な怒りがいつも貼りついていた、だから羽田闘争で亡くなった山崎博昭が遺したノート中に「僕たちの生は罪の浄化のために意味をもつ」ということ葉を見出した時、陳腐な表現を使えば、まさしく地獄で仏の、それは光としてあった。もとより惨めさを感知する程、人は、いまこの時を輝いて生ききりたい願望を強めていくものなのだ。○・○パチの「決戦」へ参加していく中で、己れの生の純化を願うあたしの志向はいつしか革命的非日常信仰ともいうべきものを形づくっていった。その信仰は権力闘争において己れを普遍的に対象化しえるというその一念であった。

権力闘争ということばの意味もろくすっぽ知っていなかったが、とにかくイワシの頭も信心からで、あたしはひとえに革命に飛翔する己れに想いを凝らす中で、我身の透明度ばかりを念じてきた。そのまま垂直降下していけば、あたしはいまも新左翼のメンバーとしてイワシの頭を掲げていたかもしれない。その別れ道は、偶然がもたらした。つまり、女から女へと己れを求めていったあたしと、八ヵ月の身重の女を殺した永田との違いなど、偶然でしかなかったということだ。あたしはそう思いたい――。

あたしのかかった病いは、否応もなくあたしの女の性を意識させる類いのものであった。〈女であること〉から逃げ続け、そして〈女であること〉に引き戻されていく己れの跡を追って、あたしの青春は果てしない浪費としてあった。二〇年に亘るさすらいの果てに己れ自身と真向った時、あたしの革命的非日常信仰は破れるべくして破れていった。女への抑圧は日常と同意語であり、それを見据えようとしたら、その身を日常空間に置くのは当然のなりゆきというものなのだ。

さて、マスコミがペンの暴力をむきだしにして永田に加えたリンチの詳細をここでむしかえすつもりはない。ただ本当に永田は巫子として存在していたのか――。森以下の男共は、その神通力のままに操られただけで悪い奴は永田、なのか――。この答えの欄を空白にしたままでは、我が姉妹・永田洋子に対するあたしの想いは、結局繰り言の域を出ない。

永田は〈どこにもいない女〉に向けて、それを売り渡すには、あまりに豊饒に女でありすぎた。

餌をくれるならどんな奴でも主人でございという風な卑しさを男との関わりの中で再生産してきた女の歴史。それは主人の手招きひとつで飛んでゆくメス犬としての歴史に他ならない。媚びるとは他人に価値感に己れを売り渡すことであり、メス犬として尻尾をふって生きる女のその媚びの生が、絶えまない存在の喪失感に脅かされるのはそれ故だ、この世に生きる女という女は、男の目に写る己れ、すなわち〈どこにもいない自分〉を求めて己れを見失っていくを宿命と負って生きる。この世が世である限り、女の主体性の確立は〈ここにいる女〉としての己れを肯定する。その手間ヒマを抜きには未来を胎めない。しかし自己肯定とは一回してしまえば一年間は有効といったものではない。主体をもって生きようとする女にとって、〈どこにもいない女〉を女に押しつけることによって成り立つこの社会そのものが敵である時、生ま生ましく女であればある程、その女は〈どこにもいない女〉と〈ここにいる女〉の間で物狂おしく切り裂かれていくのだ。

ドミュニケーション創刊号で、あたしは「暮しの手帖」を論じた。その中で、母親らしくない母親だった女のことをあたしは記した。あたしの母は既製のどのような「らしさ」の枠の中にも、とても収まり切れる人ではなかった。すなわちまぎれもなく〈ここにいる女〉として存在していた。そういう女が「妻らしさ」「母らしさ」の枠に無理やりに封じ込められた時、そこにおいての切り裂かれざまは、我が子、我が夫でさえも己れの地獄に引きずり込まずにはおかない凄絶さをその身に胎んでゆくものだ。「善人なおもて往生をとぐ、いわんた悪人においておや」の悪人とは、抑圧の嵐に吹き消されようとする、その生命の可能性に固執することによって燃やし続ける者のこと——あたしはできそこないの母を通じて学ぶべくして学んで来た。

話を永田のことに戻そう。彼女の犯した誤りは〈ここにいる女〉以外の存在ではないのに、〈どこにもいない女〉としての革命家を演じてしまったことにこそある。しかし、あたしは直感する。生ま身の〈ここにいる女〉としての己れを肯定した上で、彼女は願望としての革命家像を現実化しようとした女であると——。獄中から弁護士に宛てた彼女の手記を読むとそれは自明のこととしてわかる。人間の精神力を遥かに越えた地平で、執拗に己れを問い続ける彼女のその自己執着こそ、生ま身の〈ここにいる女〉としての尊厳を賭けた、血みどろの葛藤以外のものではないのだから。ならば、何故?の問いの答えも、そう難しいものではない。自己純化への祈りを革命的非日常信仰へ昇華した者が、身近に権力の影を予感する時、その祈りが一途であればある程追いつめられたキリシタンの如く、己れの革命的非日常信仰を死守しようと謀るは当然のことではないか!

そして又権力との期日迫った対決に備えて、〈どこにもいない女〉として、すなわり完全に政治的で革命的であろうとはやまったが故に彼女はいまだ己れ以上に〈ここにいる女〉の影を色濃く宿す女たちを粛清せねばならなかったのだ。八ヵ月の身重を、アクセサリーに執着する女を殺さねばならなかったのだ。そしてその彼女の内なる必然は、最後のその際まで、〈どこにもいない女〉と〈ここにいる女〉の、その間で激しく切り裂かれる我が身を予感すればこそのものであった——。

あたしはリンチを肯定するものでは決してない。ただ、彼女が〈ここにいる女〉としての己れを大切に想う女であるが故に、この悲劇が起きたというそのことを指摘したいだけだ。憎いのはこの世に於て女が己れをどの様に求めようと、常に〈ここにいる女〉から〈どこにもいない女〉へ無理やりに己れを変身させていかねばならないこと自体が許されないという、その事実。すなわちその事実を産み出した父権制のブルジョワ社会そのものだ!

弱いハズの女が革命の大義に殉ずる時、もとより大義に殉ずるをもって男らしさの誉れとなすべく作られた男であれば、五の力を十にしてでもガンバラねばならなかったのは、永田が巫子であったからでも森が意思弱い男であったからでもない。そのような関わりの中でしか男と女を生かさない、この社会のカラクリを、「妙義山中のあるひとつの帰結」が証しているだけの話だ。

（「日本読書新聞」〈ドミュニケーション〉、一九七二年六月一日号。「ドミュニケーション」は「日本読書新聞」の別冊として一九七二年二月から隔月刊で刊行されていた）

連合赤軍事件はどう論じられてきたのか

長谷川大

0

世界的な叛乱の時代であった一九六〇年代後半、この国の街頭や学園でもさまざまな闘争の嵐が吹き荒れました。それを終わらせたのは、もしくはその終焉を象徴するのは連合赤軍事件と「内ゲバ」と呼ばれる激しい党派闘争であると言われています。二〇一九年に刊行された『続・全共闘白書』（情況出版）には運動経験者四五〇名余へのアンケートが収められていますが、「運動から離れた理由は」という複数回答可能の質問に対して37・2パーセントが「内ゲバ」を、24・2パーセントが「党派内粛清事件」をあげていて、この二つが他の回答を圧倒しています。そして両者は無縁ではありません。新左翼における政治的殺人は七〇年八月の中核派による革マル派学生・海老原俊夫の殺害に始まりましたが、革命左派内部で離脱者二人を殺すことを決断する際、永田洋子が海老原事件にふれて「中核派ですら内ゲバで人を殺しているんだから……」と語ってそれを正当化しようとしていたことが伝えられています（坂口弘『あさま山荘1972』彩流社）。この二人の「処刑」はその後の一二名の殺害の導火線となりました。

ここではこの事件がどう論じられてきたのかを概括してみます。

1

一九七一年五月に三九歳で没した高橋和巳による生前最後の著作は赤軍派との共著『世界革命戦争への飛翔』（三一書房）でした。同書の前半を占める高橋が参加した赤軍派、そして京大全共闘のメンバーらとの討議には、驚くべきことにその後の問題のすべてが先取りされています。

「女性解放闘争と革命運動」の章で赤軍派の女性メンバーは「赤軍派の場合は、女の人の扱いが非常にけしからんのです」と語り男性への変革を迫るのですが、男性メンバーによる答えは「男子と女子との共同生活をつくりあげていくのは難しい。かなり長期の、党建設と階級総体の発展が必要ではないかと思う」という一言でした。最終章「内ゲバの論理をどう超えるか」では革命評論家を名乗る参加者はこう問いかけます。「口では内乱状態とか言っておきながら、今あるものをそのまま非合法化しようとか軍隊という名前に変えようとかいう発想では、どうしてもリンチという陰惨な形態をとらざるを得なくなるんじゃないか」。これに対して赤軍派は「基本的には、脱走者や脱落者には復帰の権利を認めるが、裏切り行為には報復措置を講ずるということです。今のところ敵対行為というのは、あんまりないんで、というか僕ら自身がまだ気づいていないのかも知れないけれど（笑）、やっぱりキレイ事では絶対に済まなくて、絶対的ピンチのなかでは必ず出て来ると思うんですね」と答えています。この討議から一年を経て、「男子と女子との共同生活」の破産と「リンチ」は「キレイ事」どころか想像を絶する「陰惨」さとともに実現されました。

永田洋子はこの本を赤軍派のアジトで行われた会合で手にして「赤軍派がこのような立派な本を出したことに感心しながら」読みましたが、先の「リンチ」や「共同生活」をめぐる問題提起に注意を払うことはありませんでした。それが自分たちの事件を予見していたのを知ったのは獄中に入って何年もあとのことでした。「そうした経緯を経て、再びこの本を手にし、「冷酷非道に裏切り者は殺すという論理なしにはすまないのじゃないか」という箇所に接した時、高橋さんの深い洞察を感じ、ため息をつくしかなかった。その時、私は頭の中がグラグラしたのを憶えている」（永田洋子『獄中からの手紙』彩流社）。

2

事件直後から赤軍派、革命左派、そしてブント左派内ではその総括をめぐって激しい論戦がかわされます。七三年には赤軍派の一部メンバーによって赤軍派臨時総会が開催され、そこから後に赤軍派（プロレタリア独裁編集委員会派）が結成されます。同派は連合赤軍を「小ブルジョアジーの憤激の自然発生性への拝跪」と切り捨てて、「資本主義に対する科学的批判」による労働者階級の自己解放闘争をかかげました。七四年にはこの「臨時総会」を、武装闘争を清算するものとして批判するかつての赤軍派議長・塩見孝也によって赤軍派（プロレタリア革命派）が、さらにそこからの分派として赤軍派（マルクスレーニン主義派）が結成されます。プロレタリア革命派を結成した塩見は、この時、プロレタリア革命の萌芽は殺された十二名にあるとする「十二名の立場」を打ち出しました。連合赤軍の闘争は「プロレタリア新党創建の闘いであり」、内部の「反動的整風闘争」とは「この「新党「指導部」の反動化、堕落に抗し」た十二名の党内闘争の結果であったとされたのです。プロ革派は結成まもなく永田洋子などの獄中の連合赤軍メンバーも結集させましたが、間もなく塩見は同派から追放され、永田らも離れました。同派は七七年に山谷で山谷統一労組を結成します。この組合は八〇年代後期にいちはやくＮＰＯ路線へ転換、「ふるさとの会」を結成して山谷で最大のＮＰＯとなり党派としては消滅しました。一方、プロレタリア独裁編集委員会派は他のブント分派と統合して紅旗派へ移行、さらに赤軍派（マルクス・レーニン主義派）などが統合した革命の旗派と統合して赫旗派を結成、二度の分裂を経て、他派と統合して労働者共産党となるという変遷をへています。同派は七七年に結成された釜ヶ崎日雇労働組合を主導してきましたが、九〇年代後期以降はＮＰＯ路線をおしすすめています。事件後、激しい論争を交わしたにもかかわらず各派の帰結は似たものとなったように見えます（この節の引用は『「赤軍」ドキュメント』新泉社より）。

3

赤軍派からはこれらとは異質な流れも生みだされました。爆弾製造にかかわったとされて地下に潜行中だった梅内恒夫は事件後に「共産同赤軍派より日帝打倒を志すすべての人々へ」（竹中労・平岡正明『「水滸伝」窮民革命のための序説』三一書房などに収録）という文書を送り付けます。梅内は森恒夫らを除名した上で、太田竜、竹中労らによって提起されていた窮民革命論への支持を表明して、その世界革命戦略を明示しました。「路線の破綻とは、一言でいえば、結合すべき人民がどこにいるか、わからなくなったということである。〔…〕アジアの窮民、そして第三世界のすべての窮民に注目することができたら、同志殺しをせずにすんだかもしれない。第二に非合法活動の原則を破ったことである。〔…〕第三に、連合赤軍において極限まで増幅された「前衛主義」の問題がある」「赤軍派は、それでは七〇年安保闘争においてなにをするべきだったのか。〔…〕学生運動の昂揚は、多くの学生を流民に落とした。〔…〕彼らを都市ゲリラ兵士と支援組織に組織することに全力をあげるべきだった。〔…〕もうひとつは、いつでも必要なことだが、優秀な同志を世界に飛び散らすべきだった」。この文書は東アジア反日武装戦線狼部隊の前身による戦犯記念碑爆破を批判していますが、その不穏さにおいて狼たちの闘争を予告するものでもあるように思えます。梅内は長きにわたって指名手配の対象となっていました。

赤軍派の軍事路線をさらに過激化させようと主張した分派もあります。赤軍派（日本委員会）は武装闘争の継続を呼びかけました。「今や、確実に敵を殲滅する軍事が問われる時代である。

一人一人、ひとつひとつを確実に、いかなる手段でも殺し、解体する時代である。〔…〕宣伝の爆弾は今、はっきり終わったのである」(「世界気象観測報告書」一号、一九七六)。

4

七一年一〇月にパレスチナへ渡った重信房子は七一年一一月の時点で国内の赤軍派と決別していました。重信は山口淑子からの「赤軍派が仲間を殺しました。ご存じですが」という国際電話で事件を知ります。「この事実を告げると、奥平さんは驚愕し、泣き崩れました」(「国際主義に目覚めて」『追想にあらず』講談社インターナショナル)。「奥平さん」こと奥平剛士ら三名はあさま山荘銃撃戦から三ヵ月後の五月三〇日、PFLPとの共同行動としてリッダ空港銃撃戦を闘い、二名がイスラエル軍に銃撃されて死にます。「(リッダ闘争という)「退路を断った闘い」は連合赤軍事件の衝撃に突き動かされた総括だと思っていた」と重信は記しています(『日本赤軍私史』河出書房新社)。リッダ闘争は連合赤軍へのパレスチナの回答だったのです。そして二か月後にはその報復としてPFLPのスポークスマンであり作家でもあったガッサン・カナファーニが自動車ごと爆破されて亡くなりました。カナファーニの姿は『赤軍‐PFLP世界戦争宣言』で見ることができます。

5

七一年九月に『赤軍‐PFLP世界戦争宣言』を完成させた足立正生は赤バス隊による上映運

動を開始します。この作品には赤軍派と革命左派による政治集会のシーンが挿入されています。ここには人民に根づいて闘うパレスチナゲリラと対照させることによる赤軍派への批判が意図されていました（『映画／革命』河出書房新社）。これを連合赤軍への先取りされた批判ととることもできます。にもかかわらず足立は事件後に書かれた「わが戦線の再構築のために」で事件の悲劇を引き受けることを宣言します。「戦略と戦術の破産をいつのっても仕方あるまい。どの立場も破産した人民を裁くことはできない。（この問題にかんする〝総括〟主体は、あらゆる意味で破産した人民に裁かれる立場（主体）しか持ち合わせていないからである）」「「粛清」は、武装蜂起する最前線部隊が、敵権力との対峙闘争の中で、敵の陰惨さを反映してしまった悲劇である」「「粛清」と「銃撃戦」が、日本における武装闘争の「前段階」に終止符を打つ最終戦であった」（『映画への戦略』晶文社）。足立は七四年には重信たちと隊列をともにするためにパレスチナへ旅立ちました。

6

「赤軍派の突出と下層プロレタリアートの浮上とを対応の関係としてとらえるか否かにのみ、わが七〇年代の組織原理はかかっている」（「誰から殺すべきか」『風景の死滅』田畑書店／航思社）。足立とともに雑誌「映画批評」を拠点に批評戦線を形成していた松田政男が七一年に刊行した本の一節です。松田は、いちはやく直接行動を煽動していた東京行動戦線、そして「世界革命運動情報」で先駆的にゲバラなど第三世界の武装闘争の理論と実践を伝えてきたレボルト社にコミットしてきました。事件のあと、松田は赤軍へのレクイエムとして「兵士のカテキズム」（『不可能性のメディア』）を書きます。「問題は、〔…〕〈兵士のカテキズム〉がいかに貫徹されえたのか、或いは、いかに貫徹されなかったのかという一点にかかわる。〔…〕私たちは、二月二十八日以降、己を再び兵士として定立しうるのであろうか。〔…〕私たちは一切のメロドラマ支配を拒絶して、新しき〈カテキズム〉の獲得に向かって前進しなければならない」。

松田とともに東京行動戦線、レボルト社で活動した特異な革命家・山口健二は六八年にレボルト社を離れてＭＬ同盟の政治局員となります。このＭＬ同盟は革命左派の淵源でした。

7

この事件は赤軍派分裂直前まで隊列をともにしていたブント各派にとっても他人事でありませんでした。赤軍派とは違う方法で武装闘争を志向する革命戦争派はもとより武装闘争には批判的な大衆運動主義的な党派まで各派がこれについての見解を出しています。

前者の代表は共産同赤報（ＲＧ）派です。同派は「粛清を不可避の代償として闘われた連合赤軍の銃撃戦を支持する」とその立場をあきらかにしました（「赤報」四号、一九七二年六月一五日）。この一節は殺人を肯定するものとして激しく批判されますが（生田あい「内ゲバ――その構造的暴力と女性・子ども」『検証内ゲバ』社会批評社）、同派の見解はそれにとどまるものではありません。「この「共産主義化」論は、我が同盟内で主張されてきた「党＝根拠地」「党＝共産主義の母胎」という傾向の一変種である。〔…〕だがこれはブルジョア・イデオロギーであって〔…〕現実の階級闘争は必ず党内に反映する。「あるべき状態」に階級形成を説くことによっては不断にブル、小ブル・イデに解体されていくのであり、その解決は規律の厳守しかありえず、内部対立の止揚の方向は閉ざされる。水平主義、共同生活という組織方法そのものの美化がその党的団結の質を示しており、完全黙秘が破られ転向者を出していることもそこに起因している」（三井次郎「連合赤軍の教訓と血の遺産を非合法党建設と革命戦争の大道へ！」、「査証」三号、一九七二年四月）。「軍から党へ」という路線の問題が誤りであり、「党を「政治局＝軍事委員会」として打ち鍛えていく」ことが求められていると考えていたＲＧ派にとって連合赤軍の問題とは党を根拠地、共同体としたことでした。

赤軍派とは対極的に大衆運動を重視したブント叛旗派は「共同性」の転換を求めます。「私たちが彼らとわかれたのは69年4月28日の総括、とりわけその敗北の認知をめぐるものであった〔…〕それはつづめていえば、現存の最も永続的で、普遍的な共同性である国家（権力）と差し違える――それを打倒するとは何かということであった。〔…〕民衆が生活や関係から生み出す軍は原理のちがいによって自立している。〔…〕ほんとうに、近代国家を超えていれば、そのような軍であれば、優に三人で自衛隊二八万と闘えるのであり、革命へまでいくのだ」。（三上治「日本読書新聞」〔ドミュニニュケーション〕一九七二年六月一日号）。

「革命とは大衆の暴力に依拠する事業」とするブント情況派の総括はまた異質です。ブント各派が共有していた「党－軍－統一戦線」という組織論を同派は拒絶していました。「大衆の暴力と党の暴力の根本的差異を考えることなく、党の暴力によって大衆の暴力に代置させる時、「暴力」の問題は〔…〕階級関係そのもの、社会構造そのものの内在的問題である事をやめ、技術手段の問題に転化するのは党そのものの必然性なので」あり、「組織内批判者、他党派を反革命として抹殺せんとするリンチの伝統は革命と党を二重うつしにする組織論・革命論を根拠としている」(「ROT」一四号、一九七二年三月一八日)。情況派にとって党は根拠地ではないだけでなく、暴力とも切断されるべきものでした。

「党」とは、革命とは何かを、この事件は問い続け直しています。

8

共産主義労働者党の学生組織プロレタリア学生同盟の指導的立場にいて、その後同派を離れた笠井潔は事件から十年余を経て『テロルの現象学』(作品社)を上梓します。この書は連合赤軍事件に対して初めて思想的な総括を行った労作です。「今日、連合赤軍事件からカンボジア虐殺共産主義に至るテロリズムの連鎖を、中心的に主題化しない一切の革命談義は虚妄である」とする笠井は連合赤軍に体現されるテロルを観念の類型学として論じました。観念は自己観念、共同観念、集合観念、党派観念の三つの形態をとりますが、連合赤軍の問題は共同観念と自己観念の背反の結果なのです。「観念の逆説‐倒錯の過程で〈肉体憎悪・生活憎悪・民衆憎悪〉の三位一体が完成され」、それぞれが三島由紀夫、連合赤軍、東アジア反日武装戦線に対応するとされます。こうした共同観念と自己観念、そしてその背反の累積による党派観念はそもそも集合観念に対抗して形成されてきたのであり、抵抗と蜂起とはこの集合観念の発現でした。「死を超越すべき群衆蜂起の経験は必然的に甦り、必然的に〈いま、ここ、われ/われわれ〉のユートピア的集合態を実現するに違いない」。諸観念と集合観念の対立とはボルシェビズム対アナキズムという古典的主題の反復とも言えます。アナキズムが新たな脚光を浴びるいまこそこの書はあらためて検討されるべきです。

9

六〇年安保ではブントに同伴した吉本隆明にとって七〇年闘争を担う新左翼党派はそれ以前の古典左翼への回帰でしかありませんでした。新左翼党派のみならず左派論客たちが第三世界革命を支持し、それに連なることを扇動することを批判していた吉本にとって連合赤軍の破産は当然の帰結です。事件後、吉本は自らが主宰する「試行」の巻頭「情況への発言」でこれに介入します（『吉本隆明著作集（続）思想論Ⅱ』勁草書房など）。この文章は当時の吉本の政治論でも異彩を放つ緊張感にあふれています。吉本のスタンスは特異です。当然にもまずは武装路線を支持するあらゆる論客たちを切り捨てます。「軍事とは観念の問題であり、権力のかんどころはどこにあり、そこにいたる経路は、どういう迂路を確実にとおらねばならないかという、という筋道を発見する問題である。」その一方、永田洋子の狂気を喧伝する精神科医らへも激しい批判を展開します。「この事件が精神異常者、性格異常者によるものと片付けられようとしている危険を今はっきり私は感じます。／このように片付けてはいけないのです。普通の青年男女が、こんな残虐をしたところに歴史的教訓があると思います。〔…〕何故私たちがこんな誤りを犯したのか、私たちは真剣に死にものぐるいで考えなければならないと思います」。この永田洋子の記述を受けて吉本はこう書きました。「永田洋子自身でさえ、なぜこうなってしまったのかわからない、とのべているリンチ殺人の必然性を、他から解ったような顔をして論じるわけにはゆかない」。そこで問われるのは「現在の世界の〈左翼〉イデオロギー」を捕える「理念的な錯誤」でした。「〈連合赤軍〉事件は、植民地、後進地帯を世界的に縫い合わせることで、現在の世界の左翼的な混迷を、トンネルさせようとする毛沢東路線の錯誤を象徴する、ひとつの現象にしかすぎないともいえる」。そしてさらにこの事件は「たんに世界の政治的な混迷をなぞっている一事件であるばかりではない。現在の市民社会の混迷を象徴する一事件としての性格をそなえている」とされます。「かれらは日常的な関係に復讐されたのだともいいうる」「かれらは無理にでも組織の共同性に家族や個人の共同性を封じ込めようとしていた理念に支配されていた」と吉本は書いています。

10

全共闘から生み出された最も重要な思想家である津村喬は「山上の垂訓」「日本新左翼の化身と冒険」というふたつのテクストで事件を論じています（『メディアの政治』晶文社）。津村もまた革命左派と同じく毛沢東主義者を自認していましたが、その受容の方向は真逆です。毛沢東主義を文化革命の問いとして受けとめた津村にとって根拠地はそのための自律的な場でなければなりませんでした。津村の連合赤軍論はいまでも参照されるべきです。

「革命暴力の不可能性を言っているのでは断じてない。「革命らしさ」や「暴力らしさ」の消費が大衆の真の革命的暴力を萎えさせ、歪曲し、結局それを権力に売り渡してしまったことを問題にしているのだ」。「頽廃はむしろ、連合赤軍はこの「悪」の自覚に徹しえず、今日的状況のもとでの始原的なものの復権（「異化」）がどのように可能かをつきつめなかったことにあると私は考える」。「連合赤軍は悪ではない。不徹底な善こそ悲惨なのである」。「三つほどの水準で問題を出しておくことにしよう。／第一は、広告的言語の革命派への浸透という問題である。〔…〕「おしゃべりの時代は終わった」という諸君は、革命行動の全体をひとつの大衆文学に変えてしまったのに気づかないのか……？〔…〕第二のそれはシンボルの次元に属する問題である。〔…〕すべての無能なロマン派詩人と同様、彼らは自分のよびだしたシンボル――はじめは銃、ふるさとの山やま、等――にふりまわされる。〔…〕行動のパタンは、シンボルの次元としては山伏の修験道に対応する、とわたしは考える。〔…〕ここには、ブラック・ムスリムやヒッピーにみられる「始原」への要求に通じる何か、がある。しかしそれはこの場合、ヒッピーほどにも自覚されていないため、小さなロマンティストたちは自分たちがよびだした古代の精霊たちによってズタズタにされてしまうのである。／第三の問題、それは革命派の権力意志の基礎としての聖（le sacré）と日常生活の関係である。〔…〕戦士たちが日常的なるものを軽蔑し、〔…〕日常生活批判の形成へと努力しなかったことの結果は〔…〕日常性の復讐として結果した。〔…〕性を政治で統御しうると考えたことは、逆に途方もない人間関係の乱れへと結果した」。「連合赤軍はおそらく、従来の〈革命政治〉が踏み込んだことのない深い神話的境域にふみこむことでひとつの〈大衆文学〉となった。そこに彼らの栄光と愚劣さがあった。今日のわれわれの政治は、どのようにして〈大衆文学〉であるか、権力の依拠する神話的領域をどう奪い返すかという問いの中へ、この教訓は生かされ、継承されねばならない」。

この「シンボルの次元」への着目は寺山修司と共通するものかもしれません。寺山は「時代錯誤でない革命運動などはある訳がない」と書くことでこの事件をめぐる市民的な議論の一切を退けます。「一読して呪文のようにしか読めない森恒夫の「銃火」の巻頭論文にしても、赤軍派救対発行の「獄中通信」の塩見孝也の論文にしても、高い調子をつらぬいているのは、指示機能ではなく、感化力であり、散文であるよりは韻文である、ということである。ここで、革命は呪術化し、運動は祭儀化し、（ネチャーエフが、自分たちの革命運動体を「教団」と名づけていたように）幻視の世界をかかえこむことになる。」（「森恒夫論」）。このテクストを収録した『死者の書』（土曜美術社）には「林少年論」として「中学社会主義者同盟」を名乗る中学生四名による赤軍派の模倣事件を論じた文章も収められています。七二年六月、林少年たちは「同志の勧誘」と「北海道での学習・訓練のキャンプ」の資金調達のために板橋郵便局を襲撃しようとしたのです。これは森たちの行動がその悲惨な結末にもかかわらず、もしくはそれゆえに「呪術」と「感化力」をもったことをしめしています。その前月のリッダ空港襲撃と比較にはならないとしても、これもまた「連合赤軍事件の衝撃に突き動かされた総括」なのです。

11

笠井は連合赤軍に「生活憎悪」を見出しました。吉本も「日常からの復讐」をとり出し、違う立場でありながら津村も「日常生活批判」がないことを批判します。これらに対して「永田洋子は何故かくも革命的非日常性幻想に固執していたのか、我身の実感としてよくわかる」と田中美津は書きます。全共闘のあと、「軍事の限界性に固執する中から赤軍が産みだされ、闘争主体の限界性に固執する中からリブが産みだされた」。田中にとって両者は双子でした。「革命的非日常性幻想にあくまで固執する男」に対しては、「テメェら勝手に死ね！」と投げかけることをよしとしながらも、その底に「日常も非日常も無意識によって支配されている」という認識を置くことによって田中は男たちの「総括」とは違う地平へ踏み出しました。田中美津は事件直後に出された名著『いのちの女たちへ』（田畑書店／パンドラ）の「新左翼とリブ」で右のように書き、さらに「永田洋子はあたしだ」（本書収録）と宣言しました。「彼女の犯した誤りは、〈ここにいる女〉以外の存在ではないのに、〈どこにもいない女〉としての革命家を演じてしまったことにある。しかし、あたしは直感する。生身の〈ここにいる女〉としての己を肯定した上で、彼女は願望としての革命家像を現実化しようとした女であると――。〔…〕そのような関わりの中でしか男と女を生かさない、この社会のカラクリを、「妙義山中のあるひとつの帰結」が証しているだけの話だ」。田中の言葉はいまだに鮮烈な輝きを放っています。

12

一九九六年、大塚英志『「彼女たち」の連合赤軍』（文藝春秋）を刊行します。これはこの事件の解読にあきらかに新しい次元を開くものでした。その視点も斬新でしたが、永田や坂口の手記から当人や殺されていったメンバーが心底で何を求めていたのかを読み取ろうとした姿勢によっても画期的でした。「殺された女性たちに共通なのは八〇年代消費社会へと通底していくサブカルチャー的感受性である。したがって一二人が殺された山岳ベースで対立していたのは二種類の革命路線ではなく、意味を失う運命にあった男たちの「新左翼」のことばと、時代の変容に忠実に反応しつつあった女たちの消費社会的なことばである」。「永田洋子の手記にちらつき、うまく言語化できない男性支配的な価値への生理的な異和は八〇年代にフェミニズムと名づけられる〔…〕感覚と共通のもののように思えてならない」。塩見孝也が殺された兵士たちに「プロレタリア革命」の萌芽を見出したのに代わって、大塚は「消費社会」と「フェミニズム」の萌芽を見出したのです。

上野千鶴子はこの「消費社会」を「自己解放」と置き換えれば、この分析に同意すると書いて、ここに田中美津を接続させます（「フェミニズムと連合赤軍」『上野千鶴子の文学を社会学する』朝日新聞社）。そして二〇〇四年の「対抗暴力とジェンダー」（『生き延びるための思想』岩波書店）でも「連合赤軍事件について論じるつもりはない」「いつになればその準備ができるか見当もつかない」と書きながらも、連合赤軍のみならず東アジア反日武装戦線や日本赤軍らの女性戦士らをも振り返りつつ、この問題の困難さに迫りました。二〇一七年に刊行された桐野夏生の『夜の谷を行く』はこれらの苦闘を踏まえて事件とその後を再構成しようとした試みともみることが出来るでしょう。その主人公は山岳ベースから脱走し、服役をおえて社会の片隅に生きる女性です。彼女の負い目は最も残虐に殺された金子みちよを置き去りにしたことでした。ラストにいたって山岳ベースでは「子供のコミューン」が志向されたことが「希望」としてあきらかにされます。

13

大江健三郎はこの頃、『万延元年のフットボール』の次の長編を準備していました。その「終りの段階で、二階の書庫兼寝室から降りてくる」とあさま山荘が中継されていました。その光景が書きつつある作品があまりにも事件と似ていたことに驚いた大江は作品の書き換えを決断します（『大江健三郎　作家自身を語る』新潮文庫）。これは七三年に『洪水はわが魂におよび』（新潮社／新潮文庫）として刊行されました。事件直後、大江は埴谷雄高と「革命と死と文学と」（「群像」一九七二年六月号）という対談を行っています。「ぼくらは赤軍のリンチ事件を超えるひとつの視点として、革命を起こしてもしようがない、それ以上にもっと世界が滅びるほどにも大きい罰を与える神を創造する力がなければ人類は前に進み出ることはできないと、ドストエフスキーとともに考えねばならぬ、ということもあるだろう」「かれらを救いうるのは何か。それは逆にかれらをみて、彼らは一面的な実在にすぎない、かれらの信じ、かつ見るより以外に世界と人類があるのだと、ぼくらが想像しうるならば、そして神におけるような、あるいはドストエフスキーにおけるような総合的な視野にあの兵士たちをとりこみえれば、人類史の展望の上でわずかに救われる可能性がでてくるのだろうと思うのです」。大江は事件を人類史的な困難として受け止めました。

この対談で特筆されるのはドストエフスキー『悪霊』への参照です。この事件から『悪霊』を連想したのは大江だけではありません。先述の寺山も『悪霊』とそのモデルであるネチャーエフを引いています。厖大なドストエフスキー論を書いた清水正もこの事件が『悪霊』研究の動機となったことをあきらかにしています。しかし清水は『悪霊』論の中で事件を論じることはありません。「「事件」が『悪霊』の舞台になった《スクヴァレーシニキ》という巨大なブラックホールに何なく吸い込まれてしまっていった」(『『悪霊』の謎』鳥影社)からです。七二年の大江が「共通の要素は、意識化されている中ではきわめて少ない」と述べるように『悪霊』と連合赤軍事件は実のところ類似していません。それにもかかわらず『悪霊』が連合赤軍にとって重要なのはなぜなのでしょうか。

現代ロシアの思想家ポドロガは、ドストエフスキーの根源にあったものは「ありのままの、烙印を押されてもいない身体の体験の記述」であり、ニーチェの「ディオニュソス的身体」、あるいはアルトー/ドゥルーズの「器官なき身体」ではないかと書いています。「ばらばら、寄せ集め、まとまりのなさ――これこそが、恐らくは、いくらグロテスク - カーニヴァル的身体的の生成を中断しようと望んだところで、われわれを待ち受けているものなのだ」「〈ドストエフスキィである〉とは一体何を意味しているのだろうか? それは〈犯罪者〉であるということではないのか」(ポドロガ「身体、肉体、触れること」東海晃久訳、『ドストエフスキー カラマーゾフの預言』河出書房新社)。このような分裂的なカタスロフィの開示とその徹底にこそドストエフスキーのおそるべきアクチュアリティがあります。ドストエフスキーがネチャーエフ事件の総括として『悪霊』を書いたとしても、そこで問われたのは党でもテロルでも観念でもありません。人類の「狂気」

と「目的」です。ドストエフスキーにとってそれは「キリスト」でした。「こういった状態にある人間に目的が示されなければ、思うに、全人類は発狂することであろう。それを示したのがキリストだ」(ドストエフスキー「メモ一八六〇－一八六一」、前掲「身体、肉体、触れること」より引用)。

大江による『悪霊』として書かれた『洪水はわが魂におよび』は若者の集団「自由航海団」が最終的には「追いつめられて、銃で武装して国家の警察と戦う」という作品でした。誰でも出入り可能な自由航海団は厳格な規律に縛られた連合赤軍の逆倒した姿であり、連合赤軍の「革命」は全編をつらぬく「終末」＝「洪水」のヴィジョンと対応します。その最後で主人公は「すべてよし」というニーチェ的な全肯定を宣言して、この巨大な混沌を永遠回帰として引き受けます。これはドストエフスキーの「キリスト」、そして田中美津の「永田洋子はあたしだ」という宣言と通じるものです。

大江はこの作品創作をめぐる内的な試行の記録を『文学ノート』(新潮社)として刊行しました。これには作品で採用されなかった断章も収録されているのですが、「革命」という章にはこう書かれています。「人間の樹木化の方法が生化学者によってついに発見されたなら、その時こそが、本当の革命だよ」。

14

先の大江との対談で埴谷雄高は「総括されて、寒い中でいろんな事を考えながらだんだん衰えて死んだ連合赤軍の一人一人についてある暗示がある」(傍点引用者)と語りました。埴谷は一九七五年に『死霊』（講談社）の第五章「夢魔の世界」を発表します。『死霊』が最初に連載を開始してから三〇年、四章が掲載されてから二十六年が経ってしまいました。この章のクライマックスは『死霊』全巻の中でも最も劇的な緊張に満ちています。革命党の指導部のひとり三輪高志が仲間とともにスパイとして「旋盤工」の党員を査問します。党員は「上部仲間を三人つづけて」を権力に売り渡していました。なぜかという問いに「旋盤工」は答えます。「上部があるかぎり、革命は必ず歪められ、その革命的要素をついにまるごと失ってしまうことになる。〔…〕すべてのものが自己の上部なるものを何時とはいわずいますぐきっぱり取り除いてしまえば、真の革命への道へ踏み出せるのだ！」。しかしこの議論そのものは「指導部」にとっては「解いているはず」のものでした。では「上部」も「下部」もないとするなら「旋盤工」にどう対処すべきか、彼らは自問します。「いいか、人間を処理してはならない。〔…〕俺たちが生と革命をひとたび侮辱すれば、こんどは俺たちが死と革命から永劫に侮辱されてしまうのだ」。そこで三輪が出した答えは「百年後」に「あの男をひとまず預けておく」ことでした。「革命は歴史だ、上部廃絶の成就した百年後に彼は革命の証人としてまた意味深くこちらに登場してもらうことになる」。その後、三輪は「（百年後に）お前を預かってもらう」と告げて「旋盤工」を水の中に沈めるのです。

これは埴谷による戦前共産党のスパイ査問事件の総括であると同時に連合赤軍事件への応答です。事実、後年の対談で大岡昇平に「きみの『夢魔の世界』は連合赤軍のリンチから触発されて書かれたとおれは思っているけどね」と指摘されて、埴谷はそれを認めています（『二つの同時代史』岩波書店）。「旋盤工」を水に沈めることは連合赤軍の一四名が土に埋められたことと対照をなしています。『死霊』はそこからさらに二十年以上をかけて書きすすめられました。

15

この『死霊』はブレヒトが一九三〇年に書いた「処置」という戯曲と共振しています（『ブレヒト教育劇集』未来社）。当時、ブレヒトは教育劇と総称される一連の短い戯曲を書いていました。これは舞台を問題提起の場として観客にその解決を迫るものでした。「処置」は革命を支援するために中国に派遣された四人のアジテーターが若い同志を殺した過程を再現して、その正否を問いかけるという設定です。困難な状況で若い同志は軽率さと性急さによって失敗を重ねるだけでなく非合法にある彼らの組織を危機に陥れます。四人は彼を射殺して石灰抗に投げ込んで灰にする決定をくだします。同志はこう答えます。「前進を了解し　世界革命を肯定しながら死のう」。この再現劇に対して「コーラス」は指導部の見解として歌います。「君たちのとった行動を了解する」。

「処置」が問うのは「人民裁判」をめぐる問題でもあります。連合赤軍が結成された一九七一年、ミシェル・フーコーは「人民裁判について」という討議に参加しました（『フーコー・コレクション4』ちくま学芸文庫）。これはフランスの毛沢東主義党派であるプロレタリア左派の機関誌のためになされたもので、討議の相手はグリュックスマンとベニー・レヴィです。レヴィはその後、レヴィナスの研究者となり、グリュックスマンは「新哲学派」としてマルクス主義に決別して、晩年はサルコジへの支持を表明しました。

革命国家装置における反権力の実践として人民裁判の意義を説くプロレタリア左派に対してフーコーは司法そのものを拒絶して人民裁判を否定しました。フーコーは問います。「裁判所とは、人民の正義の一形態であるどころか、その最初の歪曲なのではないか」。プロレタリア左派は「つねに革命的な型の国家装置が大衆と階級の敵のあいだに確立することになる」と主張してゆずりません。「裁判所とは、正義の官僚化にほかならない」と言い放つフーコーにプロレタリア左派は「では君は、人民の正義をいかにして規範化しようというのか？」と詰め寄ります。「その問いには、ふざけていると思われるかもしれないが、「これから発明しなければならない」とだけ答えておこう」とフーコーは答えました。「パリ・コミューンもまた根本的に反＝司法的なものであった」。いかなる正義のもとに裁くかでなく、裁くことが問題なのです。

フーコーのこの討議が掲載されたのはあさま山荘事件直後の一九七二年五月でした。ここにはあきらかに同時代性が刻印されています。一九七二年とはいかなる時代だったのでしょうか。ドゥルーズは第三世界の映画について論じながらこう書いています。「もはやプロレタリアートによる、団結し、統一された民衆による権力の奪取がないだろう。第三世界の最良の映画作家たちは、ほんの一瞬それを信じることができた。〔…〕しかしこのような側面において、これらの作家たちはまだ古典的な発想を共有していて、移行過程は実に緩慢で、知覚しがたく、まったく特定するのが難しいのだ。意識化というものに弔鐘を鳴らしたのは、まさに民衆は存在せず、いくつかの民衆が、無数の民衆が存在し、それらが統一されないままであり、問題が変化するためには、統一されてはならないということの意識化なのである。〔…〕現代の政治的映画は、この断片化、この分裂の上に構築された」(『シネマ2　時間イメージ』宇野邦一他訳、法政大学出版局)。統一から分裂へ。世界的に「正義」が崩壊した一九七二年とはこの移行の年でした。連合赤軍は「統一」と「分裂」の分岐を体現しました。その意味でこそ連合赤軍は全状況の象徴でもあったのです。そしてドゥルーズはここで第三世界の映画作家たちが描いているのは「人民は欠けている」という叫びであり、そこには「来るべき人民」を生みだすという課題が賭けられていたと論じています。一九七二年の妙義山が放つのも「人民が欠けている」という叫びに他なりません。

16

連合赤軍と同世代の作家・桐山襲は森恒夫と植垣康博の著作への書評においてこう記しています(『桐山襲全作品I』作品社)。「どの組織よりも飛翔した党派だった。だからこそ彼らは、いかなる組織もかつて経験したことのない未知の領域に踏み込み、そこにあらわれた幾多の巨大な矛盾に直面し、そして結果としては、その圧力に抗しきることができずに、自壊して行かざるを得なかった。〔…〕それは死にいたる共同の自傷行為ともいうべきものだった〔…〕もしもそれが、単なる「粛清」であったり、「スパイ・リンチ殺人」であったなら、事態はどれほど容易だったことだろう。もしそうであったなら〔…〕「政治路線の破産」とか「建党建軍方針の誤り」とか「無原則な新党結成」とか「指導部の未熟」とかによって、簡単に過去のものとすることができたはずだ。〔…〕しかしそれはやはり共同の行ないであった。死に至った者立ちもまた、半ば自らの意志と自らの力によって、死の世界へ向かって歩んで行ったのだった。多くのものが〔…〕

深い異和を感じつつも、わがこととして受けとめた理由は。おそらくこの点にある」。連合赤軍を「共同の自傷行為」としてとらえるということで桐山は「裁く」ことと訣別して「革命」を再開しようとしました。連合赤軍に捧げられた最初の作品「スターバト・マーテル」で事件はこう総括されます。「彼ら革命軍は、銃を手にすることで世界が変革されうるという幻想によって滅んだのではなく、銃を手にすることによって自分たちが変革されうるという幻想によって滅んだのだ」。そしてこの作品では殺害された十四名が黝い顔の戦士として再生します。「新たに現れた十四人は、革命家としての企図を最初からやり直そうとしているのに違いない」。小説は山荘の人質が十四名を受胎したことを予感して締めくくられます。これは神話化でもファンタジー化でもありません。現実の悲劇を特異な語りの方法で再構成することによって桐山もまた連合赤軍を「やり直そう」としたのです。

17

もう一度、大江健三郎に戻りましょう。大江は一九八六年の連作短編集『河馬に嚙まれる』(文藝春秋)でふたたび連合赤軍を主題化しました。この作品は山岳ベースで兵士たちの糞尿処理を担当していた左派赤軍の最少年メンバー「河馬の勇士」が十年をへていまはウガンダで河馬の糞尿処理をしているという設定で始まります。これの刊行後、大江はまたしても連合赤軍を素材にした作品を書きました。戯曲仕立ての「革命女性」(『「最後の小説」』講談社)です。ここには「同志たち」のハイジャックによる超法規的措置によって収監から解放されてパレスチナへ向かう飛行機に乗る永田洋子と思しき女性が「娘」として登場します。ただし「娘」の「革命」の指針はマルクス・レーニン主義ではなく宮沢賢治の『農民芸術概論綱要』です。永田が信じた毛沢東主義が農民に依拠した革命思想であることがただちに思い起こされます。『綱要』の「世界がぜんたい幸福にならないうちは個人の幸福はあり得ない」という一節ほど革命の理念を凝縮した言葉はありません。また「娘」が繰り返し読んだために夢にまで出てくるという『銀河鉄道の夜』は死者とともに旅する物語でした。つまりこの設定によって大江は連合赤軍を「やり直そう」としたのです。

「娘」が乗る機内には、『河馬に噛まれる』の「河馬の勇士」、そしてかつて「娘」によってリンチで殺された女性の妹が同乗していました。彼女たちは危ういところを「世界の青春」派を名乗るアナーキストの若者たち(『洪水はわが魂におよび』の自由航海団を想起させます)に助けられて空港内の個室に人質をとってバリケードをつくります。これがあさま山荘の反復であることは本人たちによっても自覚されています。最後に「娘」は仲間の救出のためにジェット機を二機爆破して射殺されます。

「人間が滅びるかもしれないが、それならば革命を選ぼう、という時がくるかも知れないと思います。〔…〕その時になって、あの二十幾年前の、いや三十幾年前の真冬の信州の山奥で、惨めな酷たらしいことが行われたのは、あれこそ革命の第一歩だと、人が認めることはありうるでしょう?」と語る「河馬の勇士」は「娘」の死後にはこう「総括」します。「あれは革命への筋みちだったか間違いだったか、というように考えるのは意味がない。あれがあった、十年たっていまこれをやる、というのが、あの人の感じ方だったんだよ」、と。

大江の結論、それは「考えるのは意味がない」、つまり連合赤軍事件を総括すること自体の拒絶でした。あるいは総括しないことが連合赤軍事件の教えだということです。総括しないことは、「裁きと訣別する」(アルトー)ことです。「裁き」があの悲劇をもたらしたのなら、それを「裁く」ことをこそ拒まなければなりません。しかしこれは事件を忘却することではありません。その逆にそのすべてとそこであらわになったこの世界の無底を引き受けることです。

空港で人質としてとらえられた老婦人は最後にこう語ります。「有ったことを無かったことにしてはいけない」、「あれは本当に有ったことでした。国家もね、それを無かったことにはできないでしょうよ」。

「有ったことを無かったことにしてはいけない」。だから連合赤軍事件を革命のはじまりとせよ、と「革命女性」は告げています。

連合赤軍を考えるためのブックガイド

長谷川大

ここで紹介するのは連合赤軍関係の書籍の一部にすぎない。また事件と直接には関係していないものもとりあげている。現在も入手可能で初版と版元が異なる書籍については（　）内にそれを明記した。関連文献は「連合赤軍事件の全体像を残す会」のＨＰに一覧がある。http://renseki.net/303010.htm

世界革命戦争への飛翔

共産主義者同盟赤軍派編　三一書房　一九七一

赤軍派がよど号ハイジャックの直後に高橋和巳を招いて行った討論による第一部と赤軍派の軌跡と理論を展開した第二部からなる。全共闘に共感して京都大学を辞したばかりだった高橋は本書が刊行されてまもなく死去する。その討議にはすでにその後の問題の萌芽が出ていることは注目される。第二部は赤軍派結成の経過とともに同派の核心である過渡期世界論による革命論が展開される。

蜂起貫徹戦争勝利　大菩薩冒頭陳述集

大菩薩冒頭陳述集刊行委員会　京都大学出版会　一九七二

首相官邸占拠の軍事訓練のため宿泊していた旅館で大量逮捕された赤軍派の公判意見陳述を集めた書。「ブルジョアジー諸君！君達の恐怖の実体、君達を脅かす現代の〝妖怪〟、それが或いは君達の足下深く進軍し、或いは大空をこえて駆けめぐり、或いは大陸を広く散開して進軍する蜂起の軍隊、世界革命戦争の軍隊、世界赤軍である。〔…〕君達が裁こうとしているのはこの革命の軍隊の進軍なのだ」。

連合赤軍の軌跡　獄中書簡集

情況編集委員会編　情況出版　一九七三

ブント系の左翼誌「情況」の別冊として事件から一年を経て刊行された獄中書簡集。連合赤軍公判対策委員会が協力した。事件当事者のすがたを伝えるものとしていまなお重要な資料である。森の自殺が獄中メンバーが大きな衝撃を与えたこともよくわかる。他に救援関係者たちによる討議、田中美津による裁判傍聴記、裁判レポートなども収録されている。左記の二冊とともに「リベラシオン社」のサイトで読める。

銃撃戦と〝粛清〟と「連合赤軍」の科学的総括のために

日本共産党（革命左派）神奈川県常任委員会編　序章社　一九七三

連合赤軍の当事者党派である日本共産党（革命左派）によって事件から一年半後に出された総括論集。連合赤軍の結成とその路線をめぐる獄中獄外での激しい対立とその後の総括があきらかにされている。坂口による事実経過、永田による党への謝罪、自己批判書が収録されているが、最もページが割かれているのは指導者・川島豪の書簡である。京都の赤軍派系雑誌「序章」が刊行元となっている。

遺稿　森恒夫

査証編集委員会編　査証編集委員会　一九七三

連合赤軍の最高指導者であった森恒夫は七三年元旦に東京拘置所で自殺した。本書はその獄中書簡を集めたもの。自殺前日に書かれた塩見孝也宛書簡の冒頭にはこうある。「もしぼくが絶望感の大きさに敗北したら、この手紙を公表して下さるか、この内容をご遺族、他の被告同志、同盟、革左に明らかにして下さい」。なお森の自己批判書の全文は一九八四年に高沢皓司編『銃撃戦と粛清』（新泉社）として刊行されている。

十六の墓標　炎と死の青春　上・下・続

永田洋子　彩流社　一九八二、一九八三

連合赤軍事件統一公判判決と同時期に上巻が刊行された永田の手記。本書刊行によって連合赤軍総括の新たなページが開かれたといっていいだろう。一六とは山岳ベースで殺された一二名とその前に殺害された向山、早岐、自殺した森、銃強奪で射殺された柴野を指す。本書を嚆矢として彩流社から事件の関係書が次々と出された。それを勇断した同社茂山和也氏なくして事件を振り返ることはできなかった。

兵士たちの連合赤軍

植垣康博　彩流社　一九八四

連合赤軍に赤軍派として参加した植垣による回想記。『十六の墓標』より後の刊行のため、できるだけ同書との重複を避けるようにして書かれた。弘前大学での全共闘運動へのコミット、赤軍派への参加、そして連合赤軍にかかわり軽井沢駅で逮捕されるまでが詳細に描かれるが、人間たちの描写があざやかで、坂口、永田の本にはない明るさも感じられる。本人は二〇年の服役を終え精力的に発言を続けている。

永田洋子さんへの手紙　『十六の墓標』を読む

坂東国男　彩流社　一九八四

坂東はあさま山荘銃撃戦に参加、拘留中の一九七五年、日本赤軍のクアラルンプール闘争で国外脱出、日本赤軍に合流した。本書は永田洋子の『十六の墓標』刊行後、それへの応答としてアラブから送られた坂東による総括である。もともと僧侶の修行をしようと思ったこともあるストイックな青年であった坂東の来歴と資質、M作戦など連合赤軍結成直前の赤軍派の実態などがよくわかる。

優しさをください　連合赤軍女性兵士の日記

大槻節子　彩流社　一九八六

山岳ベース一〇人目の死者である大槻節子の一九六八年一二月一三日から一九七一年四月四日までの日記。大槻は六六年に横国大に入学、あえて革命左派の学生組織を選んで入った。「熾烈さの中に生きる人々に、どうぞ崇高なる生を」。日記はその多感で真摯な「青春」の日々とそれが暗転していく過程を伝える。坂口の手記には、大槻が恋人であった向山の処刑を永田に進言したことが記されている。

あさま山荘1972　上・下・続

坂口弘　彩流社　一九九三、一九九五

『十六の墓標』とならんで最も重要な当事者による手記。あさま山荘の銃撃戦まで含んだ唯一の証言としても貴重である。革命左派、最初の闘争であった羽田の愛知外相訪米訪ソ阻止闘争などは当事者でなければ書けない緊張感がある。本人の生真面目さが文章からも伝わってくるだけに、この事件の闇の深さを思い知らされる。当事者の手記の中でもとりわけ重要な総括として評価する声も多い。

連合赤軍少年A

加藤倫教　新潮社　二〇〇三

革命左派のメンバーとして山岳ベースに参加した加藤三兄弟のうち、兄・能敬は四人目の死者として殺害され弟二人は銃撃戦に参加した。これは逮捕時、少年であった次男の回想記。進学校に通う高校生時に兄が連れてきた年上の男にオルグされて革命左派に接近、出入国管理事務所への火炎瓶投擲に加わり、やがて兄弟三人で山岳ベースにはいる。エピローグでは兄の遺影に合掌する。

獄中からの手紙

永田洋子　彩流社　一九九三

永田洋子は『十六の墓標』以降も数冊の著作があるが、これは最高裁で死刑確定判決が出たあとに刊行されたもの。脳腫瘍との闘病の中で自分の過去と真摯に向き合う姿が伝わってくる。終章の「内ゲバの克服のために」では獄中に入ってから読んだ高橋和巳の「内ゲバの論理はこえられるか」を「同志殺害の行為を具体的に分析するための最良の指針」としてあげて、なぜあの時、「唯一とりうる選択」が「死刑」だったかを振り返る。

歌稿

坂口弘　朝日新聞社　一九九三

死刑判決を受けながら二〇一八年に獄死した東アジア反日武装戦線の大道寺将司にとって俳句は闘争と総括の継続でもあった。同じく坂口弘も短歌によって自らの総括を深化させてきた。歌集は九三年に刊行の本書を端緒にいままで三冊が刊行されている。「嵐去り格子に垂れる玉の水闘いし後の充足と見ゆ」「獄の春手紙を書けば手袋を脱ぎしわが手のみずみずしさよ」

赤軍派始末記　元議長が語る40年

塩見孝也　彩流社　二〇〇三

ブント七回大会で過渡期世界論を打ち出して同派を左傾化させ、さらに赤軍派を分裂させた指導者・塩見の半生記。その実践的・理論的背景を自ら語る。連合赤軍については誤りの根源を森、永田のマルクス主義のスターリン化に求め、かつて獄中で提唱した「一二名の立場」論を基本とする。そこで打ち出されるのが金日成の主体思想の影響をうけた「人間中心の自主世界観」なるものであった。二〇〇九年に改訂版刊行。

証言　連合赤軍

連合赤軍の全体像を残す会　皓星社　二〇一三

「連合赤軍の全体像を残す会」は事件当時者だけでなく赤軍派、革命左派関係者らの聞き書きを「証言」という冊子で刊行するなどして事件の検証を行っている。その「証言」などをまとめたのが本書。主に赤軍派に比して部外者には不明なことが多かった革命左派の出自、とりわけML派や山口左派など毛沢東主義党派との関係が見えてくる。ここではじめてあきらかにされた事実も多い。

アフター・ザ・レッド　連合赤軍　兵士たちの40年

朝山実　角川書店　二〇一二

連合赤軍とその前史に関わった四名のその後の人生へのインタビューを収める。このうち、三名は「連合赤軍の証言を残す会」でも活動している。丁寧な聞き手のアプローチによって、各人の苦悩と軌跡、そして手記などからは見えない永田や森の素顔や活動の実態があきらかにされていく。映画『実録　連合赤軍』のラスト「みんな勇気がなかった」というセリフへをきびしく批判する加藤倫教の言葉が強く印象に残る。

英雄兵士の物語　国家論の発展のために

上野勝輝　査証出版　一九七三

七一年一一月、大菩薩峠事件で捕らわれ獄中にあった赤軍派メンバー上野は、革命左派の反米愛国論が赤軍派にも影響を与えつつあることを憂慮して、これを批判するため国家論からはじめる必要を感じて執筆した大論文。エンゲルスの『家族・私有財産および国家の起源』を批判的に踏まえ、田中二郎の『ブッシュマン』と今西錦司に依拠して世界史を再構成する中から革命を展望する。

日本赤軍20年の記録

日本赤軍　話の特集　一九九三

七一年にアラブへ渡った重信房子らは国内赤軍と決別後、パレスチナのPFLPと共闘しながら日本赤軍を結成、連合赤軍事件後、テルアビブ銃撃戦を端緒に武装闘争を展開するとともに世界的な組織化をすすめた。その過程で奪還闘争により赤軍派、連合赤軍メンバーも自派に合流させた。本書は九三年に刊行されたもので、右記メンバーも含むと思われる匿名座談会では連合赤軍の総括も語られている。

公然たる敵

ジャン・ジュネ　鵜飼哲他訳　月曜社　二〇一一

西独赤軍＝RAFことバーダー＝マインホフグループについてのこの国での文献は少ない。本書にはジュネがそのメンバーの獄中書簡集によせた序文「暴力と蛮行」が収録されている。「RAF全体が〔…〕暴力のみが人間の蛮行の息の根を止めることができるということを私たちに教えてくれた」。ジュネは「孤立や無理解や内ゲバをすべて承知のうえで」RAFの決意があることを讃える。

拉致疑惑と帰国　ハイジャックから祖国へ

よど号グループ　河出書房新社　二〇一三

大菩薩峠事件の大打撃を乗り越えるべく赤軍派は「よど号」をハイジャックして北朝鮮へ渡る。彼らはその地で「愛国」に目覚め、自分たちの帰国を実現する運動を行っているが、拉致に関与したという疑いによってそれが阻まれている。本書は平壌に住む当事者たちが「よど号」以降の過程をあきらかにしつつ、その疑惑に反論したもの。赤軍をめぐるもうひとつの物語はいまなお進行中だ。

「赤軍」ドキュメント　戦闘の向示線

査証編集委員会編　新泉社　一九七六

「査証」は七一年から七三年に刊行された、「序章」とならぶ赤軍派系の伝説的雑誌。その編集部が赤軍派をめぐる文献をリスト化し、時系列に剃って重要なテクストをアンソロジーとして編んだ書。ブント内の赤軍派フラクの内部文書にはじまり、証言、機関誌、声明などが集成されて、赤軍派結成から連合赤軍事件、その後の総括論争や諸派への分裂などが立体的にうかびあがる大労作。七八年に増補版、八三年に新篇が刊行された。

日本赤軍派　その社会学的物語

P・マインホフ　木村由美子訳　河出書房新社一九九一（岩波現代文庫）

赤軍派の結成、連合赤軍、日本赤軍の軌跡を日本研究者がドキュメントとしてまとめたもの。リッダ闘争に参加した岡本公三のインタビューを収める。特に連合赤軍事件が日本赤軍のリッダ闘争＝テルアビブ銃撃戦に結びついていたかの考察は重要。客観的に時代と闘争の軌跡を世界史的スケールでとらえるためには最良のガイド。岩波現代文庫収録時に『死へのイデオロギー』に改題された。

あさま山荘事件銃撃戦の深層　上下

大泉康雄　二〇一二　講談社文庫

あさま山荘銃撃戦被告・吉野雅邦の中高の同級生である著者は吉野との交流をもとにした『氷の城　連合赤軍事件・吉野雅邦ノート』を書いたが、その後、吉野との関わりを軸としつつもさらに膨大な取材を重ねて事件とその後の全体を描く本書の単行本版を刊行、文庫ではそれを増補した。事件だけでなく、その時代背景、また他では書かれることに少ない裁判過程までをもフォローした労作である。

追想にあらず

三浦俊一編著　講談社エディトリアル　二〇一九

六九年七月六日赤軍派が明大和泉でブント議長さらぎ徳二らを襲撃した「七・六事件」こそその後の連合赤軍や内ゲバへの端緒となったのではないかと考えてきた元・赤軍派メンバーがそこから事件とその時代を総括すべく編んだ論集。赤軍派、蜂起左派、RG派、日本赤軍、よど号などにかかわる当事者一八名が執筆、七・六事件の回顧だけでなく、ブントや赤軍派にかかわる貴重な証言が多い。

犯罪・海を渡る
平岡正明　現代評論社　一九七三

森秀人は森恒夫が平岡正明の愛読者であると書いているがその真偽はさだかではない。その平岡が事件を総括した「赤色犯科帳――革命は魔道である」を収録。「同志を殺すな。この一項目が革命家のモラルに書きこまれることは正しい。残念ながら、このモラルが実現するまで、あと数年、ないしは十数年、この主張が繰り返されねばならぬかも知れない。なぜか。革命とは、まだだれもやったことのない領域なのである」

不可能性のメディア
松田政男　田畑書店　一九七三

東京行動戦線として日韓闘争ではアンモニア爆弾の容疑で逮捕され、「世界革命運動情報」で第三世界革命を紹介するなど「武装」のイデオローグである松田は当然にも赤軍派を注視し続けていた。本書は事件についての異様なる総括「兵士のカテキズム」を収める。銃撃戦のあとに粛清があきらかにされたことをポーの「大鴉」に例えながら、TVファシズムを問い、その先に新たな兵士の創出が可能かを問いかける。

映画への戦略
足立正生　晶文社　一九七四

七一年秋に完成した『赤軍－PFLP世界戦争宣言』は赤バス上映隊によって全国で上映された。本書はこの映画のためのマニフェストを中心に編まれたもの。多くは事件前に書かれたものだが、事件直後の「わが戦線の再構築のために」には足立による事件総括を含んでいる。足立はその後、日本赤軍に参加した。足立の数奇な軌跡は赤軍的な問いが秘めたもう一つの可能性を指し示している。

死者の書
寺山修司　土曜美術社　一九七四

森恒夫論、岡本公三論などを収録。「政治など信じない」寺山にとって「事件」は「一度政治化して、それから虚構との絆の中で、内実」とすべきものであった。「森恒夫はネチャーエフを演じた。時代錯誤は、いつでも妖しい燐光を放つものだ」。「ぼくたちは、どんなに目を見ひらいても、世界を半分しか見ることはできない。しかし見えない半分にかかわって行かない限り、革命などは実現しない」。

メディアの政治

津村喬　晶文社　一九七四

全共闘運動ノンセクトから重要な思想家による連合赤軍論「山上の垂訓」「日本新左翼の化身と冒険」をおさめる。毛沢東主義をルフェーブルや人類学、「テル・ケル」はじめ最新のモードも導入しながら更新していた津村にとって連合赤軍とは「悪」の「不徹底な自覚」による「大衆文学」であった。津村はここに新左翼の言語の広告化をみてとるとともに山岳行自体に民俗学的視点をもちこむなど、いまだに斬新にして特異な考察。

意味という病

柄谷行人　河出書房新社　一九七五（講談社文芸文庫）

「マクベス論」は連合赤軍事件に対する回答として書かれた。マクベスは野望のために王を殺して自ら王になるが、それを守るために次々と周囲を殺害する。「マクベスは、運命と闘ったように見える。だが、事実は運命を求めて挫折したにすぎない」。マクベスが「拒けたのは自己の存在が無意味であるという考えそのものであって、彼が自分を何であれ意味づけねばならぬことを拒けたのである」。

吉本隆明著作集（続）　思想論Ⅱ

勁草書房　一九七八

当時、最も学生たちに影響力のあった思想家・吉本は事件直後に自らが主宰する「試行」の巻頭「情況への発言」で事件を論じた。もうすでに平岡正明、竹中労や津村喬などへの論戦を展開していった吉本にとって事件はそれらと同根の「毛沢東主義」の当然の帰結であった。しかし同時に吉本はこれが決して「異常」なものでなく、現在の象徴であることを見て取って、これを思想的課題として読み解く。吉本には同趣旨の講演もある。

テロルの現象学　観念批判論序説

笠井潔　作品社　一九八三

新左翼党派の指導的位置にいた革命家であり若きイデオローグとして革命論を展開していた著者がその自己批判もこめて、連合赤軍をふくむ赤色テロルを「観念」批判として思想的に総括した画期的な労作。革命を批判するだけに止まらず、叛乱を圧殺する共同観念・党派観念に対してユートピア的な集合観念を構想することで、同時代のフランスの新哲学派と一線を画する。二〇〇二年には増補版を刊行した。

検証　内ゲバ　日本社会運動史の負の教訓

いいだもも・生田あい他　社会批評社　二〇〇一

新左翼運動の経験者たちによる「内ゲバ」をめぐる共同研究の集成。二〇〇四年に続編が刊行されている。ブント関西派にいた生田あいがブント内の内ゲバ、そして連合赤軍事件を総括している。連合赤軍ではいかなる社会をつくるかが不問にふされたことであり、その根源的な犯罪性が「生・生命・他者との関係における人間存在そのものに対するもの」であるとされ、最後には「小さな物語」からの再出発がしめされる。

内ゲバの論理　テロリズムとは何か

埴谷雄高編　三一新書　一九七四

内ゲバ激化のさなかに刊行された論集だが、連合赤軍も視野に入れられている。永田が最終的な総括の糧とした高橋和巳「内ゲバの論理はこえられるか」（初出は『わが解体』）などの重要テクストを集成。鶴見俊輔「リンチの思想」は「底辺の大衆の感覚」をもってリンチを回避していくという実践的な提案を含む優れたものだが、だが、これは事件前の七一年一一月に行われた講演の記録。

共産主義黒書　犯罪・テロル・抑圧　ソ連篇・コミンテルン・アジア篇

S・クルトワ他　高橋武智他訳　恵雅堂書店（ちくま学芸文庫）二〇〇一

連合赤軍の問題は二〇世紀の共産主義における粛清、虐殺、収容所などの問題と切り離すことはできない。本書は一九九七年にフランスでベストセラーになったもの。現在はちくま学芸文庫で入手できる。アジア篇の訳者はベトナム脱走兵支援運動にかかわり、日本赤軍の関与を疑われてパリから強制送還されたこともある。本書が示すのは目をおおうばかりの事実だが、これらをもふまえた上で「事件」を考えてみたい。

フーコー・コレクション4　権力・監禁

フーコー　小林康夫他篇　ちくま学芸文庫　二〇〇六

フーコーとフランスの毛沢東主義党派であるプロレタリア左派の討議「人民裁判について」を収める。司法そのものを拒絶し、人民裁判を「人民の正義」の官僚化として批判するフーコーと革命国家装置における反＝権力として人民の裁判所を形成しようとするプロレタリア左派の対決はそのまま連合赤軍の問題である。問われなければならないのは正義の内容ではなく「裁き」そのものではないか。

いのちの女たちへ　とり乱しウーマン・リブ論

田中美津　田畑書店　一九七二（パンドラ）

連合赤軍報道の衝撃の中でさなかで書かれた「新左翼とリブ」の章はこの事件を考える上でも重要なテクスト。「連合赤軍が怖いのではなく、この社会に生きているという現実が、あたしには怖かった」。全共闘結成大会での赤軍派のゲバルトを目撃した田中はその後、革命左派から呼ばれて山岳ベースで永田洋子と対面した。近著『この星はわたしの星じゃない』ではこれをめぐる回顧も収録されている。

「彼女たち」の連合赤軍　サブカルチャーと戦後民主主義

大塚英志　文藝春秋　一九九六

連合赤軍論に新しい地平を開いた記念碑的著作。永田、坂口の手記を読む中から、遠山美枝子への「総括」の契機が「指輪」「長い髪」「化粧」であったことに注目し、女性たちにその後の時代のフェミニズム的、そして消費社会的な感性を確認して、粛清がこれをめぐる闘争の結果であったと洞察する。「『かわいい女』になろうとして死んでいった」という読解がなどには疑問も残るが、そこも含めていまだに論争的な書である。

生き延びるための思想　ジェンダー平等の罠

上野千鶴子　岩波書店　二〇〇六（岩波現代文庫）

「女性革命兵士」を論じた「対抗暴力とジェンダー」の章は連合赤軍を考える上で必須。「わたしたちの世代にとって七二年の連合赤軍事件は消すことのできない世代の汚点であり、歴史的なトラウマである」と書きながら、上野は大塚の議論をひいて、それが田中美津によって先取りされていたことを確認する。永田は遠山らを殺すこと彼女自身を殺したという田中の指摘の再評価などいくつもの重要な論点を提起している。

暴力の哲学

酒井隆史　河出書房新社　二〇〇四（河出文庫）

この「事件」を考える時、闘争における暴力の問題を避けて通ることはできない。この事件についての論はないが、キング、マルコムX、ファノン、ブラック・パンサー、そして現在までの暴力を歴史的、思想的に深い考察を加えながら、ただ暴力を忌避することも礼賛することもなく、暴力・非暴力を超えて「国家の暴力の廃絶」というヴィジョンと結ぶ反暴力を構想することれからも読み継がれるべき重要な書。

漂流記1972

三田誠広　河出書房新社　一九八四

芥川賞受賞作『僕って何』は新左翼政治の実態をセクトに翻弄される無党派学生の立場からユーモラスに描いた作品だった。一九八四年に書き下ろしとして刊行された本作品は連合赤軍事件を再現するもの。その直前に刊行された『十六の墓標』をもとにしているのはあきらかだが、その登場人物は八〇年代のアイドルに擬せられて、その悲劇性を喜劇性へと転化させることに作家の批評性が賭けられていたかのようだ。

極楽まくらおとし図

深沢七郎　集英社　一九八五

生前最後の作品集に収録された作品「闇」、主人公はよど号の田宮ら「亡命した〔…〕俺たちの英雄」が「望郷の念」を表明していることを報じた新聞記事を「昔の仲間たち」に送り付ける。いまそれぞれ社会的に成功した彼らには秩父で自分たちを売った仲間を殺害し埋めたことがある。主人公はその場を再訪し、「お前は、何のために死んだんだ」と唸る。「こんな闇の中に望郷なんてあるものか」。

河馬に噛まれる

大江健三郎　文藝春秋　一九八六

一九七三年に『洪水はわが魂におよび』で「自由航海団」を名乗る若者たちが彼らを庇護する主人公とともに銃撃戦によって壊滅させられるまでの過程を描いた大江はそこから一〇年以上を経て再び連合赤軍をとりあげる。事件の最少年メンバーはウガンダで河馬の糞尿を処理する「河馬の勇士」として働いていた。「総括」を一〇年を経て再現する同世代の物語もあり、重層的に時代と事件を問う重要な作品。

都市叙景断章

桐山襲　河出書房新社　一九八九（作品社「桐山襲全作品」Ⅱ）

名作『スターバト・マーテル』で「事件」を幻想譚に昇華させた桐山は四年後、ふたたび連合赤軍をとりあげた。「僕」は「一九七〇年代の最後の年」に記憶を失い、いまは高層ビルの壁面を清掃する仕事についている。夜明けの街に甦るのは真昼子という女性と彼女の属する赤ヘルの党派をめぐる四つの記憶の断片だった。それを確かめるために一九七二年の「十二名の死者」を調べるのだった。だがその記事に真昼子はいなかった。

光の雨

立松和平　新潮社　一九九八

坂口弘をモデルにした主人公・玉井潔は、死刑制度が廃止されて特赦になり娑婆に戻り、その経験を若者に語る。永田や坂口の手記で書かれた過程が、立松らしい熱のこもった文体でそれが再現されることで事件は生々しい肉感とともに甦ってくる。「革命を本気でしようとしていた戦士たちがかっていたことなど知らない子供たちに向かって、自分たちの暗黒の物語ることこそ、玉井潔にはこの人の世との唯一の接点だ」。

夜の谷をいく

桐野夏生　文藝春秋　二〇一七（文春文庫）

連合赤軍メンバーだった西田啓子は山岳ベースから脱走して五年の服役をへて世間から身を隠すように生きていた。親は死に、親戚からはいとまれていた西田には山岳に友人を置き去りにしてきたという負い目があった。二〇一一年、永田洋子の死と三・一一を機にその日常は壊れていくが、知らなかった過去の真実があきらかになり、再生への予感で終わる。文庫版に寄せた永田洋子の弁護士・大谷恭子の解説は衝撃的。

ぼくらが非情の大河をくだる時

清水邦夫　新潮社　一九七三

事件の年の一〇月に蜷川幸雄の演出で上演された戯曲。男を求める男たちが集まる新宿の公衆便所、どこかの公衆便所に無名戦士が埋められていると信じてそれを探す詩人、そしてそれを追う父と兄があらわれる。兄はかつて弟を裏切ったことがあった。兄に幻滅した詩人は兄のナイフで自らを刺して死ぬ。兄は弟の死体を背負って町へ消える。このラストは連合赤軍の衝撃を引き受ける同世代の苦悩を体現していると受けとられた。

レッド　全13巻

山本直樹　小学館　二〇〇七−二〇一八

『レッド』八巻、『レッド 最後の60日 そしてあさま山荘へ』四巻、『レッド最終章　あさま山荘の10日間』一巻からなる連合赤軍のマンガ化。赤軍派（本作では「赤色軍」）は植垣の手記、革命左派（本作では「革命者連盟」）は坂口の手記に依拠しながら全過程を冷徹に描いていく。殺害される人物には死亡日がふられることでその悲劇を予告されて、事実の重さをクールに伝える。事件の全貌をこれから知るためにはこれの読破をすすめたい。

連合赤軍略年譜

世界的に叛乱がひろがった1960年代後半、日本でも学生・青年労働者の街頭闘争が隆盛をきわめた。体制側の弾圧の前に闘争が後退を強いられた69年、中心的な新左翼党派のひとつ、共産主義者同盟（ブント）からこの限界を武装闘争で突破しようとする赤軍派が分裂、同年、毛沢東主義に依拠する日本共産党（革命左派）が結成され、両派はそれぞれ武装闘争をすすめた。それぞれともに権力においつめられ指導部やメンバーの多くが獄にとらわれる中で両派は接近する。革命左派メンバーが逃走のためにつくっていた山岳拠点を両派は革命の根拠地と位置づけ、共同で軍事訓練を行う中から（新党結成を見据えつつ）軍を統一することになり、71年7月、赤軍派・森恒夫と革命左派・永田洋子を指導者とする統一赤軍が結成された（まもなく連合赤軍に改称）。8月に革命左派により山岳から脱走した2名が殺害され、両派統合以降には12名が「総括」の名のもとに殺害された。権力の包囲の中、メンバーは次々に逮捕され、残った5名はあさま山荘に立てこもり銃撃戦を展開した。

1969

4月12日　日本共産党（革命左派）結成。
4月20日　革命左派の大衆組織「京浜安保共闘」結成。
4月　ブント内路線闘争の中で関西ブントの主流派により赤軍派結成。
7月6日　赤軍派100名が、明治大学和泉校舎にいたブント議長さらぎ徳二らを襲撃し拉致監禁、さらぎは重傷を負った上、警察に逮捕される。
8月8日　赤軍派結成総会。
9月3日　赤軍派結成集会。
9月4日　赤軍派政治集会、300名結集。
9月3－4日　革命左派、愛知外相訪ソ訪米阻止のため、海から羽田空港に突入。同日、米ソ大使館に火炎瓶投擲。
9月5日　全国全共闘結成集会に赤軍派登場、これを阻止しようとしたブント連合派を粉砕。
9月20日　赤軍派、「京都戦争」として京都市街戦。
9月22日　赤軍派、「大阪戦争」として阪南交番を襲撃。
9月27日　赤軍派、「東京戦争」として本富士署を襲撃。
9月29日　赤軍派、望月上史死去。7月6日の襲撃に対するブント連合派からの反撃によって中大に拘束され、そこからの脱出の際に転落したため。
10月21日　革命左派、横田基地にダイナマイトを仕掛けるが不発、赤軍派は新宿駅、中野阪上のパトカー襲撃でピース缶爆弾使用。
11月5日　首相官邸突入の軍事訓練のため大菩薩峠の福ちゃん荘に集結していた赤軍派53名が逮捕。

11月6日　革命左派、立川基地のダイナマイト設置。
〔11月16日　佐藤訪米阻止闘争。これ以降、新左翼の街頭闘争は後退していく。〕
11月17日　赤軍派、鉄パイプ爆弾で寝屋川署爆破。

1970

1月16日　国際根拠地建設、70年前段階蜂起貫徹赤軍派武装蜂起集会、800名結集。
2月7日　全関西赤軍派武装蜂起集会、1500名結集。
3月15日　赤軍派議長塩見孝也ら、10月21日のピース缶爆弾の件で逮捕。4月21日、ハイジャックで再逮捕。
3月31日　赤軍派の田宮高麿ら日航機よど号をハイジャック。4月3日、平壌到着。
5月26日　革命左派、横田基地にダイナマイトを仕掛ける。5月31日には立川基地、6月24日には大和田基地に仕掛ける。
6月　赤軍派、P（ペガサス）・B（ブロンコ）・M（マフィア）作戦を構想。Pは塩見奪還と国際根拠地建設、Bは渡米しての日米同時蜂起、Mは金融機関襲撃による現金強奪。
〔7月7日　華僑青年闘争委員会、日本の新左翼に決別宣言。〕
〔8月4日　中核派、革マル派学生の海老原俊夫を殺害。内ゲバ殺人の端緒。〕
12月18日　革命左派の柴野春彦ら銃奪取のため上赤塚交番を襲撃し、柴野は銃撃されて死亡、ほか2名も重傷。
12月26日　柴野人民葬、その後、京浜安保共闘と赤軍派の大衆組織・革命戦線が共同集会。2派による初の共闘。1000名結集。
12月31日　赤軍派と革命左派、初の会合。

1971

1月25日　赤軍派と革命左派の共同政治集会、450名結集。
同月下旬　赤軍派中央員会分裂、獄外の「連続蜂起路線」を獄内は批判、獄外で森恒夫らが7人委員会を結成、梅内恒夫、重信房子らの排除も決定された。
2月17日　真岡市の鉄砲店を襲撃、散弾銃10丁、空気銃1丁、三段実包2000発、ライフル実包60発などを強奪。
2月22日　赤軍派中央軍、M作戦の第1弾として千葉県の市原辰巳台郵便局を襲撃。
2月27日　同、第2弾として千葉県の高師郵便局を襲撃。
2月28日　赤軍派の重信房子、奥平剛士と偽装結婚し、日本を脱出。
3月4日　赤軍派中央軍、M作戦第3弾として千葉県の夏見郵便局を襲撃。
3月9日　同、横浜銀行相武台支店を襲撃。
3月22日　赤軍派、坂東國男、植垣康博らのゲリラ隊、仙台振興相互銀行黒松支店を襲撃。同月末までに赤軍派幹部、兵士のほとんどが指名手配となる。11、15日にはM作戦関係者が逮捕。
4月23日　赤軍派と革命左派、再接触。
4月下旬　革命左派、都内のアジトの移動に消耗した坂口弘が隠れ場所として山岳ベースを提起、」永田も同意する。
5月15日　赤軍派中央軍、横浜銀行坂東橋支店を襲撃、同日に坂東隊、南吉田小学校給料を強奪。
5月31日　革命左派、奥多摩の雲取山近くの小袖鍾乳洞の廃屋バンガローをベースに決定、メンバーをよびよせる。
6月はじめ　同ベースで初の実射訓練。
6月6日　ベースより向山茂徳、脱走。
6月9日　革命左派、丹沢ヒュッテで拡大党会議、19名参加。この時点で14名が入山。

6月15日　早岐やす子、ベースからの脱走を試みるが果たせず。
6月17日　明治公園の中核派の集会で赤軍派が爆弾を投擲、機動隊30名重軽傷。
6月24日　赤軍派坂東隊、横浜銀行妙蓮寺支店襲撃、はじめて銃を使用。
7月6日　坂口、永田と森が会談、坂口らの「新党」の提起に対し森は「軍の共闘」で答える。
7月13日　小袖ベース跡で両派会合、統一赤軍結成が提起された。
7月15日　統一赤軍結成。革命左派、塩沢ベースに移動。大槻が向山の動向を報告。早岐、脱走。二名離脱への対策を協議（21日に処刑を決定）。ニクソン訪中決定に衝撃を受ける。丹沢ベースへ移動を決定。
7月23日　赤軍派、米子の松江相互銀行米子支店を襲撃、その後、全員逮捕。革命左派から譲り受けた銃を押収される。
8月3日　早岐を墨田区から印旛沼まで運び殺害して埋める。
8月10日　向山を小平で殺害、印旛沼に埋める。
8月18日　合同会議で革命左派からの要請を受けて連合赤軍に改称決定。
9月11日　赤軍派坂東隊、白河交番殲滅戦を遂行しようとしたが警官不在のため中止。
9月14日　連合赤軍結成集会、５００名が参加。
〔9月16日　三里塚で強制代執行、東峰十字路で機動隊3名が死亡。〕
〔9月18日　黒ヘル、高円寺駅前交番爆破、以降、10月まで連続的に交番などを爆破。〕
〔9月30日『赤軍－ＰＦＬＰ世界戦争宣言』上映開始。〕
10月23日　革命左派のＳら他1名、ベースから下山して逮捕、静岡県井川にベースを移動。
11月13日　赤軍派の3名、新倉のベース候補地に。22日には森ら3名も合流。
〔11月14日　中核派、渋谷暴動。〕
11月23日　革命左派、榛名山へ移動

11月30日〜12月2日　共同軍事訓練のため、両派のメンバーが新倉ベースに集まる。
12月3日　水筒問題で赤軍派、革命左派を批判。夜、初の全体会議、この日は代表挨拶、翌日以降、自己批判、メンバーへの批判がはじまる。
12月7日　共同軍事訓練終了。
12月8日　森、「銃による共産主義化」を提起。
12月15日　榛名山に山小屋完成。
12月18日　日本赤色救援会復権柴野虐殺弾劾追悼一周年集会、「銃による殲滅戦」がアピールされた。
〔12月18日　警視総監土田國保邸、爆破。夫人死亡、四男重傷。〕
12月21日　「新党」結成を決定。
〔12月24日　新宿追分交番でクリスマスツリー爆弾爆発。警官一名死亡、一一名重軽傷。〕
12月27日　小嶋和子、加藤能敬への暴力的な「総括」の要求がはじまる。
12月28日　尾崎充男への「総括」要求開始。
12月31日　尾崎、死亡。「敗北死」と総括される。以降の死も同様に呼ばれた。

1972

1月1日　進藤隆三郎への「総括」要求はじまり殴打により死亡。小嶋も死亡。
1月2日　遠山美枝子への「総括」要求はじまる。行方正時、発言を問題視されて捕縛。
1月4日　加藤、死亡。
1月7日　遠山、死亡。
1月9日　行方、死亡。

1月17日　寺岡恒一への「総括」要求はじまる。
1月18日　寺岡、死亡。森、青島らがアイスピックで刺すが絶命せず、数名で絞殺。
1月19日　名古屋に行っていたIの逃亡があきらかになる。
1月20日　山崎順が総括を要求され、森は死刑を宣告。アイスピックで刺し、絞殺。
1月23日　迦葉山ベースへ移動準備開始。
1月25日　大槻節子、金子みちよへの「総括」要求はじまる。
1月26日　山本順一への「総括」要求はじまる。
1月29日　迦葉山ベースに移動。
1月30日　山本、死亡。その後、大槻、死亡。
2月1日　山田孝への「総括」要求はじまる。
2月4日　金子、死亡。森、永田が資金調達などのため上京。坂口が指揮にあたる。
2月6日　山本夫人、脱走。
2月2日　M、脱走。Nも行方不明と判明。
2月9日　裏妙義の籠沢の洞窟をベースとする。
2月12日　山田、死亡。
2月13日　永田洋子、坂口と離婚して森と結婚することをあきらかにする。
2月15日　警察が榛名山ベースを発見し捜査網を敷いたことが報道される。坂口は指名手配されていないO、Sに車で東京へ行くことを指示、途中で警官に取り囲まれるが、9時間にわたる車での籠城後逮捕。残る9名は登山道を選び尾根を通って決死の逃亡。17日に山越えに成功。
2月17日　森、永田、籠沢の洞窟へ向かったところで逮捕。

2月19日 買い出しにいった植垣ら4名、軽井沢駅の待合室で逮捕、坂口ら5名はさつき荘に潜むが追ってきた機動隊と銃撃戦になり、あさま山荘に逃げ込む。以降、あさま山荘で銃撃戦開始。

2月28日 全員逮捕。同日、坂東の父、自殺。

〔5月30日 奥平剛士、安田安之、岡本公三テルアビブ銃撃戦を展開。奥平、安田、イスラエル軍の銃撃により死亡。〕

1973

1月1日 森恒夫、東京拘置所で自殺。

1975

8月4日 日本赤軍、クアラルンプールのアメリカ大使館を占拠、坂口と坂東を含む獄中政治犯の釈放を要求したが、坂口は拒否、坂東は超法規的措置で出国、日本赤軍に合流する。

1977

8月9日 吉野雅邦、加藤倫教、統一被告団を離脱、分離裁判に。

9月28日 日本赤軍、ダッカ空港で日航機をハイジャック、植垣らの釈放を要求するが、植垣は拒否。

1979

3月29日 分離公判組の東京地方裁判所の一審判決で吉野に無期懲役、加藤に13年の判決。

1982

6月18日　統一被告団の東京地方裁判所の一審判決で永田、植垣は死刑、植垣は20年の判決。

1986

9月26日　二審判決で控訴棄却。

1992

2月19日　最高裁判決で上告棄却。永田、坂口の死刑、植垣の20年が確定。

2011

2月5日、永田洋子、東京拘置所で死去。2001年に脳腫瘍を病んで以来、病床にあった。

（作成にあたり『連合赤軍を読む年表』（椎野礼人編、彩流社）、『連合赤軍・〝狼〟たちの時代』（毎日新聞社）、『抵抗と絶望の狭間　一九七一年から連合赤軍へ』（鹿砦社）、『「赤軍」クロニクル　戦闘の向示線』（査証編集部編、新泉社）を参考といたしました）

水越真紀（みずこし・まき）
1962年生まれ。共著『黄色いベスト運動　エリート支配に立ち向かう普通の人びと』、『山本太郎から見える世界』、『日本を変える女たち』（ともにele-king）他

山崎春美　（やまざき・はるみ）
1958年生まれ。著書『天國のをりものが　山崎春美著作集1976-2013』（河出書房新社）他

友常勉　（ともつね・つとむ）
1964年生まれ。著書『夢と爆弾　サバルタンの表現と闘争』（航思社）、『戦後部落解放運動史　永続革命の行方』（河出書房新社）他

中西淳貴　（なかにし・あつき）
1995年生まれ。論文「絶対的に栄光なき者たちの夢　香港、蜂起と運動」（『福音と世界』2021年2月号）他

田中美津　（たなか・みつ）
1943年生まれ。著書『いのちの女たちへ　とり乱しウーマン・リブ論』（田畑書店／パンドラ）、『この星は、わたしの星じゃない』（岩波書店）他

長谷川大（はせがわ・だい）
1957年生まれ。共著『日本のテロ』（河出書房新社）他

著者略歴

鈴木創士（すずき・そうし）
1954年生まれ。著書『うつせみ』（作品社）、『文楽徘徊』（現代思潮新社）他

高祖岩三郎（こうそ・いわさぶろう）
1955年生まれ。著書 *Radiation and Revolution*, Duke University Press Books、『新しいアナキズムの系譜学』（河出書房新社）他

石川義正（いしかわ・よしまさ）
1965年生まれ。著書『政治的動物』（河出書房新社）、『錯乱の日本文学 建築／小説をめざして』（航思社）他

長原豊（ながはら・ゆたか）
1952年生まれ。著書『ヤサグレたちの街頭　瑕疵存在の政治経済学批判序説』、『敗北と憶想　戦後日本と〈瑕疵存在の史的唯物論〉』（ともに航思社）他

小泉義之（こいずみ・よしゆき）
1954年生まれ。『災厄と性愛　小泉義之政治論集成Ⅰ』、『闘争と統治　小泉義之政治論集成Ⅱ』（ともに月曜社）他

長崎浩（ながさき・ひろし）
1937年生まれ。著書『叛乱を解放する　体験と普遍史』（月曜社）、『幕末未完の革命　水戸藩の叛乱と内戦』（作品社）他

市田良彦（いちだ・よしひこ）
1957年生まれ。著書『アルチュセール　行方不明者の哲学』（岩波新書）、『革命論　マルチチュードの政治哲学序説』（平凡社新書）他

連合赤軍
革命のおわり革命のはじまり

編者　鈴木創士

二〇二二年二月一九日　第一刷発行

発行者　神林 豊
発行所　有限会社月曜社
〒一八二-〇〇〇六　東京都調布市西つつじヶ丘四-四七-三
電話〇三-三九三五-〇五一五（営業）〇四二-四八一-二五五七（編集）
ファクス〇四二-四八一-二五六一
http://getsuyosha.jp/

写真　森山大道（「櫻花」一九七二年）
編集　阿部晴政
装幀　中島 浩
印刷・製本　モリモト印刷株式会社

ISBN978-4-86503-127-0